MI PRIMERA GRAMÁTICA

MI PRIMERA GRAMÁTICA

DELFINA HUERTA
SUSANA VELÁZQUEZ HUERTA

Catalogación en la fuente

Huerta, Delfina
Mi primera gramática. -- 2a ed. -- México : Trillas, 1995 (reimp. 2004).
128 p. : principalmente il. ; 27 cm.
ISBN 968-24-5213-9

1. Español - Gramática - Estudio y enseñanza.
I. Velázquez, Susana. II. t.

D- 372.61'M872m LC- LB1526'M8.5 31

División Administrativa, Av. Río Churubusco 385,
Col. Pedro María Anaya, C. P. 03340, México, D. F.
Tel. 56884233, FAX 56041364

División Comercial, Calz. de la Viga 1132, C. P. 09439
México, D. F. Tel. 56330995, FAX 56330870

www.trillas.com.mx

Miembro de la Cámara Nacional de la
Industria Editorial. Reg. núm. 158

Primera edición reformada, 1959 (ISBN 968-24-0926-8)
Reimpresiones, 1962, 1966, 1967, 1969, 1971, 1972, 1973, abril y agosto 1974, 1977, 1978, 1979, 1980, 1981, 1982, 1983, 1984, 1985, 1986, 1988, 1990, 1992 y 1994
Segunda edición, 1995 (ISBN 968-24-5213-9)
Reimpresión, 1998

Segunda reimpresión, octubre 2004

Impreso en México
Printed in Mexico

Esta obra se terminó de imprimir y encuadernar
el 30 de octubre de 2004,
en los talleres de EDICUSA, Ediciones Culturales, S. A. de C. V.
BM2 80 TASS

Prólogo

Eros pedagógico, una herencia de inapreciable valor, ha hecho posible esta segunda versión de *Mi primera gramática.*

A treinta años de distancia, los preceptos didácticos de Delfina Huerta prevalecen actualizados y modernos. Estos mismos han orientado las modificaciones a la obra y porque los niños de hoy, igual que los de ayer, aprenden a través de ejemplos de la vida cotidiana y del juego; con la sencillez y la naturalidad que les hacen comprender y disfrutar de áreas complejas, como es el análisis de nuestra lengua materna.

SUSANA VELÁZQUEZ HUERTA

A los maestros

La sencillez con que está presentada MI PRIMERA GRAMÁTICA excluye, casi por completo, un capítulo especial de su técnica; por lo tanto, estas palabras son una simple exposición de los motivos que la originaron, seguida de dos o tres sugerencias para su uso, que en la práctica, han dado resultados satisfactorios.

Tres son los factores que motivaron MI PRIMERA GRAMÁTICA: primero, la carencia de una gramática adaptada a la capacidad de los alumnos de grados elementales; segundo, la tendencia actual de la enseñanza de basar los conocimientos que se imparten al niño sobre algo objetivo, concreto y del mundo de sus intereses; tercero, las reconocidas dotes pictóricas del niño, que lo ponen en el plano de poder hacer del dibujo un medio fácil y agradable para cualquier aprendizaje.

MI PRIMERA GRAMÁTICA, está basada en al representación gráfica de los conceptos gramaticales. El material humano, campo de experimentación pedagógica de la autora, ha colaborado ampliamente con ella en esta obra.

En cuanto a los principios fundamentales de la doctrina gramatical, sigue, en todas sus partes, los preceptos fijados por las altas autoridades en la materia, eligiendo, entre todos, los más comprensibles para los niños. Su extensión es limitada al caudal de conocimientos que marcan los programas vigentes. No establece división alguna entre la parte correspondiente a cada ciclo escolar, quedando en manos del maestro esta dosificación de acuerdo con las necesidades de su grupo, y el programa correspondiente.

El número de ejercicios y de juegos que lleva MI PRIMERA GRAMÁTICA dan una idea al maestro de la forma en que puede continuarlos hasta lograr su objetivo.

Como sugestiones recogidas de la práctica, se recomienda que el niño no memorice literalmente la definición gramatical, sino que asimile el conocimiento por medio de sus ilustraciones y sea capaz de expresarlo después llanamente, en su propia manera de decir.

Se recomienda, como complemento indispensable para el buen éxito, el trabajo enteramente libre del alumno en un cuaderno especial que, por una parte, sirve como medida del conocimiento en realidad asimilado, y por otra, ofrece un campo precioso de observación en el cual el maestro menos experto puede investigar las tendencias individuales de sus educandos.

Mi primera gramática va a vuestras manos, maestros, compañeros de labor, con un doble ideal: aligerar un tanto la tarea vuestra en este aspecto de la enseñanza de lengua nacional y hacer interesante y del agrado de los niños tan valioso estudio. Si en la práctica se logran estos resultados, se verán plenamente confirmados los afanes de la autora.

Delfina Huerta

Índice de contenido

LA ORACIÓN Y LA FRASE

El cumpleaños de Lucy

Mi amiga Lucy cumplió años el viernes pasado. Su mamá le hizo una fiesta por la tarde. Todos sus amiguitos le llevamos regalos. ¡Qué sorpresa! Yo le compré una caja de chocolates. Lucy me dijo: ¡Gracias! ¡Qué ricos chocolates!
La fiesta estuvo muy bonita. La hermana de Lucy nos puso unos juegos. ¡Qué tarde tan divertida!

Lee cuidadosamente el párrafo y cuéntale a tu maestro de qué se trata.

Todos los párrafos se forman de **oraciones** y **frases**. Cada vez que termina una, hay un punto.

Ejercicios:

de oraciones y frases

Cuenta las oraciones y frases que tiene el párrafo y escríbelas en lista en tu cuaderno.

Aquí tienes las oraciones y frases que debes haber escrito. Comprueba tus resultados.

1. Mi amiga cumplió años el viernes pasado.
2. Su mamá le hizo una fiesta por la tarde.
3. Todos sus amiguitos le llevamos regalos.
4. ¡Qué sorpresa!
5. Yo le compré una caja de chocolates.
6. Lucy me dijo ¡Gracias!
7. ¡Qué ricos chocolates!
8. La fiesta estuvo muy bonita.
9. La hermana de Lucy nos puso unos juegos.
10. ¡Qué tarde tan divertida!

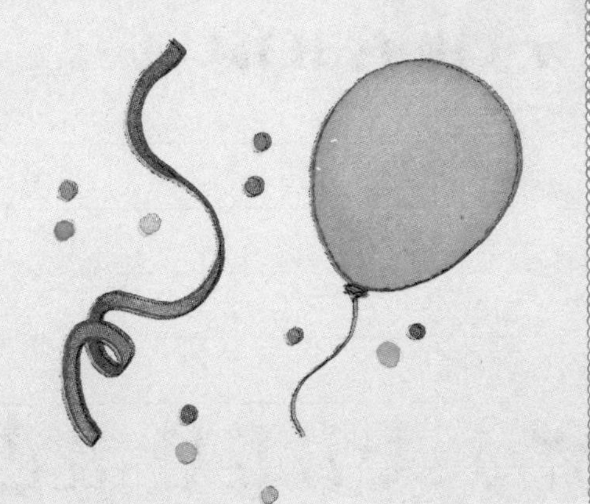

Compara la **oración** | 1 | con la **frase** | 7 |

Número 1. | Mi amiga Lucy | cumplió años el viernes pasado. |

La **oración** está formada por dos partes. Cada parte se entiende muy bien.

Número 7. ¡Qué ricos chocolates!

La **frase** no puede dividirse en partes porque no se entiende si la dividimos. Solamente se entiende cuando va toda junta.

I. De la lista que hiciste, separa las oraciones de las frases y escríbelas en tu cuaderno en dos columnas.

II. En las líneas de la izquierda escribe la palabra **oración** o **frase** según corresponda.

______________________ ¡Muchas gracias!

______________________ Me gusta la clase de Lengua Nacional.

______________________ El pizarrón es grande.

______________________ ¡Qué susto!

______________________ Buenas tardes.

______________________ La tienda de enfrente.

______________________ Nuestra escuela está limpia.

______________________ La directora es muy amable.

______________________ ¡Cuántos niños!

III. Completa estas oraciones.

Mi amiga Lolita ______________________.

El vestido de Laurita ______________________.

Los patines de Julián ______________________.

La moto de Beto ______________________.

Mi gato blanco ______________________.

IV. Escribe 5 oraciones y 5 frases.

____

____

____

____

____

____

V. Comenta con tu compañero de pupitre cuándo dirías estas frases.

1. ¡Qué horror!
2. Hasta mañana.
3. La hora del recreo.
4. ¡Cuánta gente!
5. El primer día de vacaciones,

VI. Escribe **la frase** de admiración que dirías...

1. Si abrieras tu mochila y encontraras una araña.

2. Si entraras a tu cuarto y vieras sobre tu cama un reloj nuevecito con una tarjeta que dijera "Para ti".

3. Si estuvieras comiendo tu sopa y una mosca cayera en tu plato.

4. Si te escogieran para ir a ver las mariposas monarca.

5. Si vieras en el cielo un gran cometa.

VII. Escribe una **frase** que sirva de título a:

1. Una historia de dos niños que se pierden en el parque.

2. Un libro que describe la vida de las hormigas.

3. Una canción que hable de que todos los seres humanos deben vivir en paz.

LA ORACIÓN

Un grupo de palabras que expresa un concepto completo se llama **oración.**

Hay distintas clases de oraciones: **declarativas, negativas, interrogativas, exclamativas e imperativas.**

Oraciones declarativas

Las oraciones que afirman algo se llaman **declarativas.** Afirmar es lo mismo que asegurar.

El labrador siembra el maíz.

La siembra es en Marzo.

La cosecha se hace en Septiembre.

Mamá baña a mi hermanito.

El baño es muy saludable.

Todas las oraciones principian con letra mayúscula.

Oraciones negativas

Las oraciones que niegan algo se llaman **negativas.**

El nene todavía no sabe caminar.

La nana no puede soltarlo.

El carrito no tiene dos ruedas.

Jorgito no puede jalarlo bien.

> Las oraciones declarativas y las negativas terminan con punto final.

Oraciones interrogativas

Las oraciones que preguntan algo se llaman **interrogativas.**

¿Qué haces allí?

¿Crees que podrás alcanzar un pajarito?

¿Te gustan los barquillos?

¿Quieres uno de vainilla o de fresa?

Al principio y al final de las oraciones interrogativas se usan signos de interrogación **¿ ... ?**

Qué, Quién, Cuál, Cómo, Cuándo, Por qué, Dónde; se acentúan en las oraciones interrogativas.

Oraciones exclamativas

Las oraciones que expresan admiración, espanto, sorpresa se llaman **exclamativas.**

¡Ay que nos topa el chivo!

¡Qué susto nos dio!

¡Qué bien corre Canelo!

¡Cómo salta las piedras y las zanjas!

Las oraciones exclamativas llevan signos de admiración al principio y al final **¡ ... !**
Qué, Quién, Cómo, Por qué, Dónde; se acentúan en oraciones y frases exclamativas.

Oraciones imperativas

Las oraciones que expresan una orden directa o una invitación directa se llaman **imperativas.**

Pintito, salta.
Brinca esta vara.

Ven a mi fiesta el día 15.
Ponte un disfraz bonito.

Las oraciones imperativas llevan una coma después del nombre de la persona o animal a quien se dirigen.
Las oraciones imperativas pueden ser negativas.
Todas las oraciones imperativas terminan con punto.

Ejercicios:

de oraciones declarativas, negativas, interrogativas, exclamativas e imperativas

Pónle su nombre a las siguientes oraciones:

Carlitos, no te vayas a caer. ____________________

Mañana no hay clases. ____________________

Las niñas van a bailar el 10 de mayo. ____________________

¡Qué bien te ves hoy! ____________________

Polo, pasa al pizarrón por favor. ____________________

¿Cuándo vamos de excursión? ____________________

Los niños ya no juegan matatenas. ____________________

¿Qué son matatenas? ____________________

¡Cuánto tiempo.sin verte! ____________________

Anita es muy platicadora. ____________________

Revisión de oraciones

Juego

Los cinco capitanes

Elíjanse cinco niños que serán cinco capitanes. Cada uno representará una de las cinco clases de oraciones. Hágase salir del salón a los cinco, mientras el resto del grupo piensa sus oraciones. Pasado un momento entrará uno de ellos y eligirá a un compañero para que diga una oración de la clase que él representa. Si el elegido contesta bien, ingresará al equipo de ese capitán, si no, se quedará en el grupo.

Ganará el equipo que tenga más niños.

ELEMENTOS DE LA ORACIÓN

El sujeto

Sujeto es la persona o cosa de quien se dice algo.
Lee estas tres oraciones.

_______________________________ da leche.

_______________________________ tiene dos manos.

_______________________________ es muy útil.

La vaca, el mono y el pizarrón son los **sujetos** de las tres oraciones anteriores.

El **sujeto** cambia de lugar en la oración.

Es muy útil ____________________

Tiene dos manos ____________________

Da leche ____________________

Da la *vaca* leche.
Tiene el *mono* dos manos.
Es el *pizarrón* muy útil.

Ejercicios: de sujeto

I. Las siguientes oraciones no tienen sujeto. Encuéntralo y escríbelo como título a cada párrafo.

____

Viven en el agua. Respiran por medio de branquias. Tienen el cuerpo cubierto de escamas.

____

No tiene luz propia. Refleja la luz del Sol. Alumbra por la noche. Es satélite de la Tierra.

____

Tiene cinco pétalos. Es muy pequeña y perfumada. Se oculta bajo sus hojas grandes y frescas.

II. Copia las oraciones que siguen, cambiando de lugar el sujeto:

El Sol alumbra la Tierra durante el día.
México proclamó sù independencia en el año de 1810.
El Calendario Azteca está en el Museo Nacional de Antropología.

III. Encuentra y subraya el sujeto en las siguientes oraciones:

1. Las moscas trasmiten enfermedades peligrosas.
2. Compró flores en el mercado mi mamá.
3. Llegan en primavera las golondrinas.
4. Tiene mi gatito las uñas muy filosas.

El predicado

Rosa	vende flores frescas
Sujeto	**Predicado**

El elefante	tiene colmillos de marfil
Sujeto	**Predicado**

Predicado es todo lo que se dice del sujeto.

Sujeto	**Predicado**
Las ardillas	viven en los árboles.
Los toltecas	adoraban al Sol.
Cuauhtémoc	luchó contra Hernán Cortés.
Las abejas	transportan el polen de las flores.

viven en los árboles es predicado de las ardillas.
adoraban al Sol es predicado de los toltecas.
luchó contra Hernán Cortés es predicado de Cuauhtémoc.
transportan el polen de las plantas es predicado de las abejas.

El **predicado** se compone de **verbo** y **complemento.**

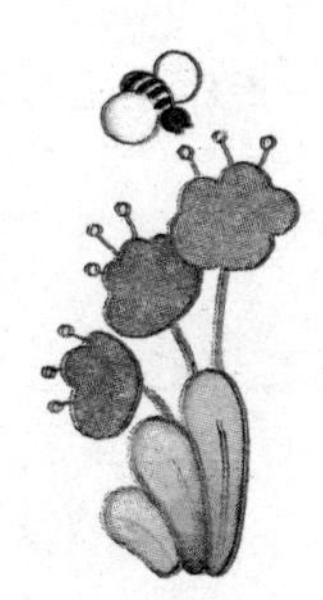

verbos	**complementos**
viven	en los árboles.
adoraban	al Sol.
luchó	contra Hernán Cortés.
transportan	el polen de las flores.

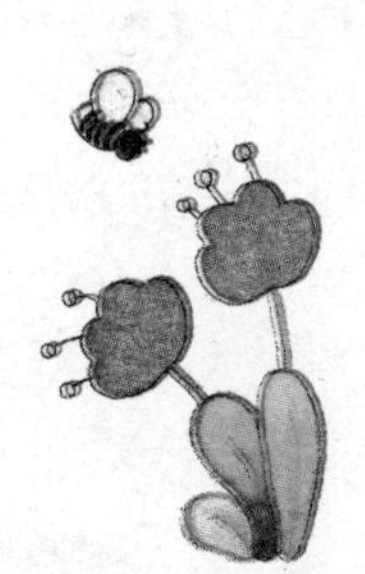

Ejercicios: de predicado

Busca en la columna de la izquierda el predicado que deben llevar estos sujetos y escribe su número dentro del paréntesis.

1. Los tréboles	( ) están formados por once jugadores.
2. Los aviones	( ) descubrió América en 1492.
3. Los equipos de futbol	( ) producen oxígeno.
4. El Sol	( ) tiene cuatro hojas.
5. Cristóbal Colón	( ) es una estrella amarilla.
6. Los árboles	( ) necesitan alas y cola para poder volar.

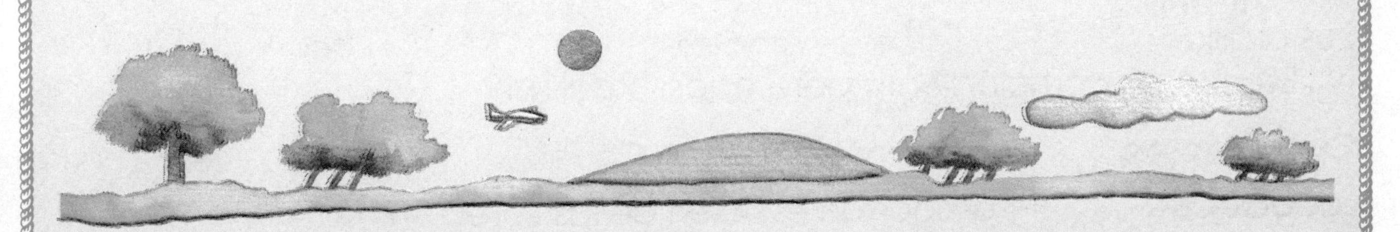

Encierra el verbo en un círculo y subraya los complementos de los predicados.
El hombre conquistó la Luna en 1969.
El campeonato mundial de futbol de 1970 fue en México.
Las noticias llegan a través de satélites.
El mexicano Carlos Carsolio conquistó el Everest en 1990.
El doctor Rubén Argüero realizó el primer trasplante de corazón en México.
El siglo XXI empieza en el año 2000.

Revisión de oraciones

I. Las siguientes oraciones no tienen verbos. Escribe uno en cada espacio.

1. Las trajineras cargadas de frutas ________________ por los canales de Xochimilco .
2. El gato ________________ a la familia de los mamíferos.
3. Mamá ________________ diariamente mi ropa.
4. Los duraznos ________________ hueso y semilla.

II. Las siguientes oraciones necesitan sujeto. Escribe uno en cada espacio.

1 En el lago de Chapultepec __________________ nadan tranquilamente.
2. __________________ es el volcán más elevado de México.
3. __________________ separa a México de Estados Unidos de América.

III. Copia las oraciones siguientes y subraya el predicado de cada una.

1. El general Morelos rompió el sitio de Cuautla.
2. En la ciudad de Chihuahua fueron pasados por las armas los primeros caudillos de la Independencia.
3. Los Niños Héroes defendieron con bravura el castillo de Chapultepec.

IV. Escribe un complemento para cada oración.

La Tierra gira ________________________.
Los pulmones sirven ________________________.

Revisión de los elementos de la oración

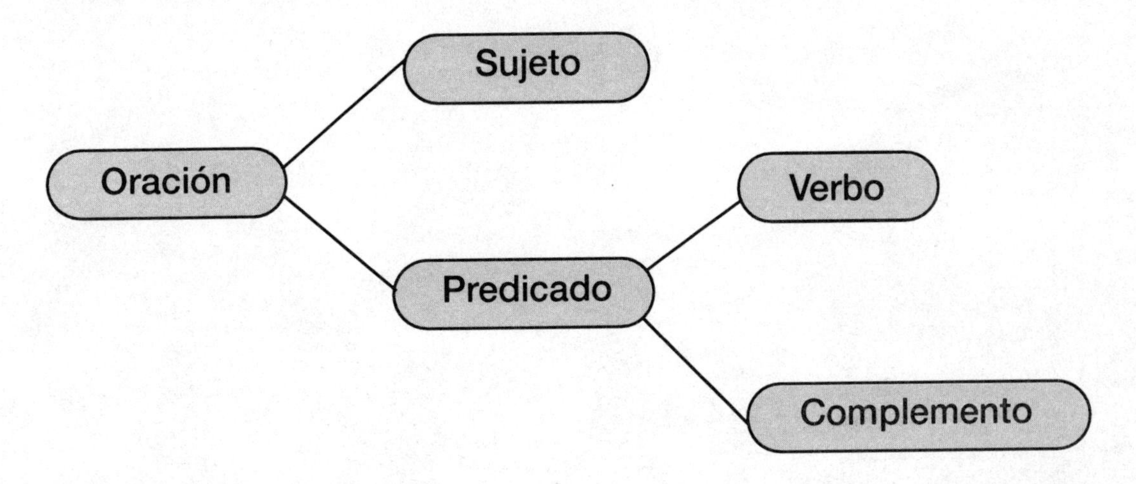

Juego

Adivinanzas

Hágase salir a un alumno del salón de clase. Elija un sujeto. Piense en los predicados que le convengan. Haga entrar al niño que salió. Cada niño del grupo le dirá un predicado del sujeto elegido hasta lograr que lo adivine.

Ejemplo: **Sujeto:** El Pípila.

Predicados que pueden decirse: nació en Guanajuato; peleó contra los españoles; fue héroe de la independencia; peleó bajo las órdenes del cura Hidalgo; dio su sangre por la libertad de México; cargó una losa en su espalda; prendió fuego a la puerta de la Alhóndiga de Granaditas.

La feria

El **domingo** pasado fuimos a la **feria**. ¡Qué divertido! Mi **hermanita** se subió a los **caballitos** mientras nosotros la veíamos pasar. Luego mi **hermano** y yo nos subimos al **martillo** por primera vez. ¡Qué emoción! hasta se nos paralizó el **estómago** cuando estábamos de **cabeza.**

Mi **papá** nos enseñó a tirar al **blanco** y tiene tan buena **puntería** que se sacó un **premio**.

Se nos antojaron los **elotes**, las **palomitas**, los **algodones** de **azúcar** y para rematar, unos **plátanos** fritos con **crema.**

Pasamos una **tarde** sensacional y regresamos todos muy contentos.

I. Reúna a los alumnos en grupos pequeños para leer este párrafo y platicar sobre la feria.

II. Copia en tu cuaderno las palabras en negritas. Estas palabras se llaman **sustantivos**.

Las palabras que nombran personas, animales y cosas se llaman **sustantivos.**

Dibuja en una página de tu cuaderno personas, animales y cosas.
Escribe el sustantivo de cada uno.

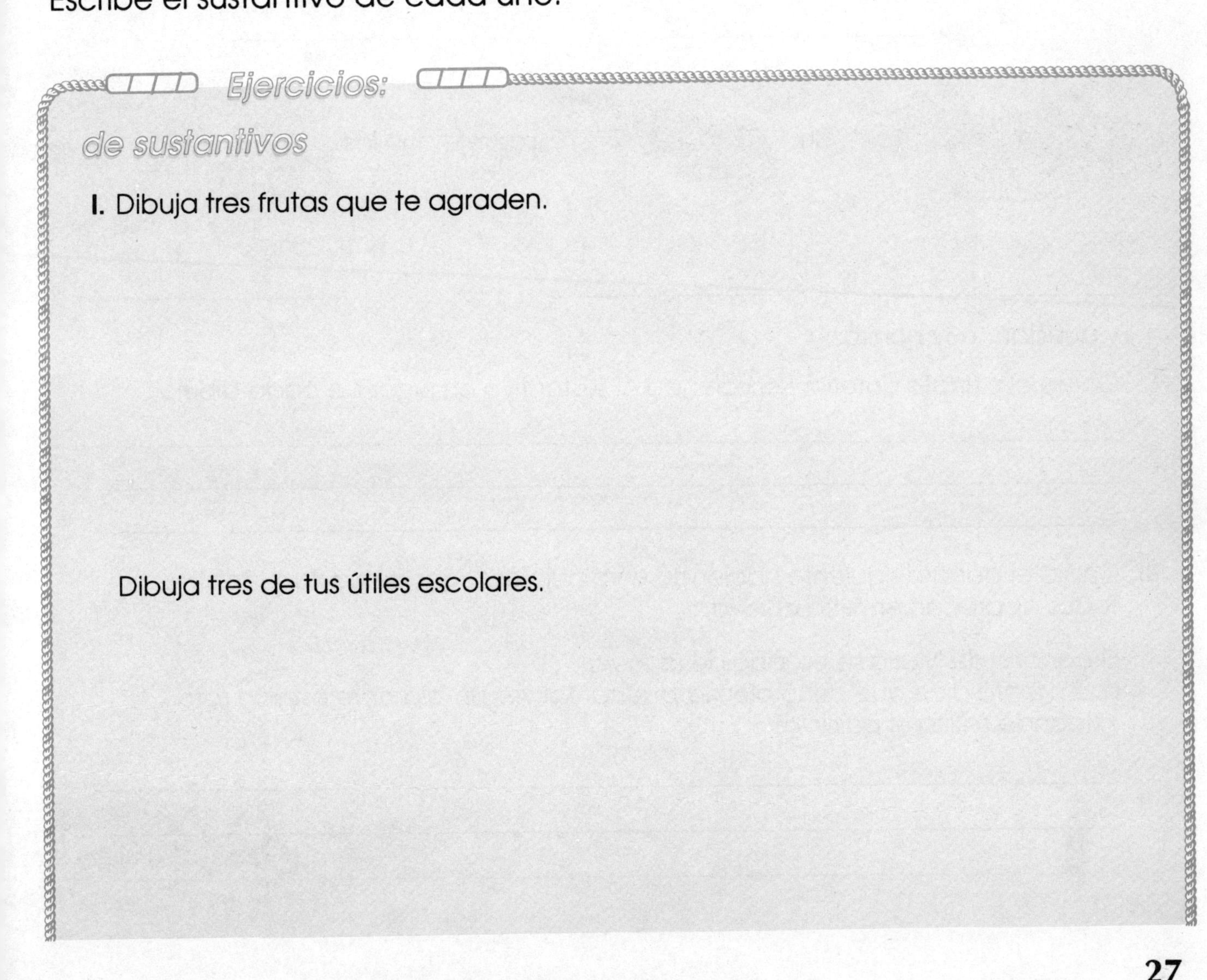

Ejercicios: de sustantivos

I. Dibuja tres frutas que te agraden.

Dibuja tres de tus útiles escolares.

Dibuja tres animales que presten ayuda al hombre.

II. Escribe bajo cada dibujo su sustantivo.

Cerca de mi ____________ un ____________ vende

____________ de ____________ Los teje con las ____________

y quedan muy bonitos.

Copia el párrafo anterior escribiendo el sustantivo en lugar de cada dibujo.

III. Copia el párrafo siguiente haciendo un dibujo en lugar de cada sustantivo. Todos aparecen en letra cursiva.

El *canario* de María se escapó de la *jaula*.
La *sirvienta* dice que cerró bien la *puerta*. Tal vez un *alambre* estaba roto.
¿Adónde se iría el *pajarito*?

EL SUSTANTIVO COMÚN

El **sustantivo** puede ser sustantivo común o sustantivo propio.

El **sustantivo** que sirve para todas las personas, los animales y las cosas de una misma especie, separada de las demás se llama **sustantivo común.**

Ejercicios:

de sustantivos comunes

I. El campesino conduce el tractor para hacer el surco donde caerá el grano de maíz.

El Sol y la lluvia harán que germine. La milpa crecerá y dará grandes mazorcas. Todos tendremos tortillas que comer.

En este texto hay once sustantivos comunes. Encuéntralos y escríbelos.

_______________ _______________ _______________ _______________

_______________ _______________ _______________ _______________

_______________ _______________ _______________

II. Mi plato está en la mesa con el cuchillo, el tenedor y la cuchara. El vaso tiene agua fresca. Acercaré mi silla y esperaré la sopa.

Busca los sustantivos comunes. ¿Cuántos son? ______________________.

Dibújalos.

III. Inventa un cuento usando los siguientes sustantivos comunes: pastor, perro, borregos, campo, montañas, sol, pasto, arroyo, agua. Dibuja una escena.

____

____

____

____

____

EL SUSTANTIVO PROPIO

El nombre que le damos a una persona, a un animal o a una cosa, para distinguirlos de los demás de su misma especie, se llama **sustantivo propio.**

Usos del sustantivo propio

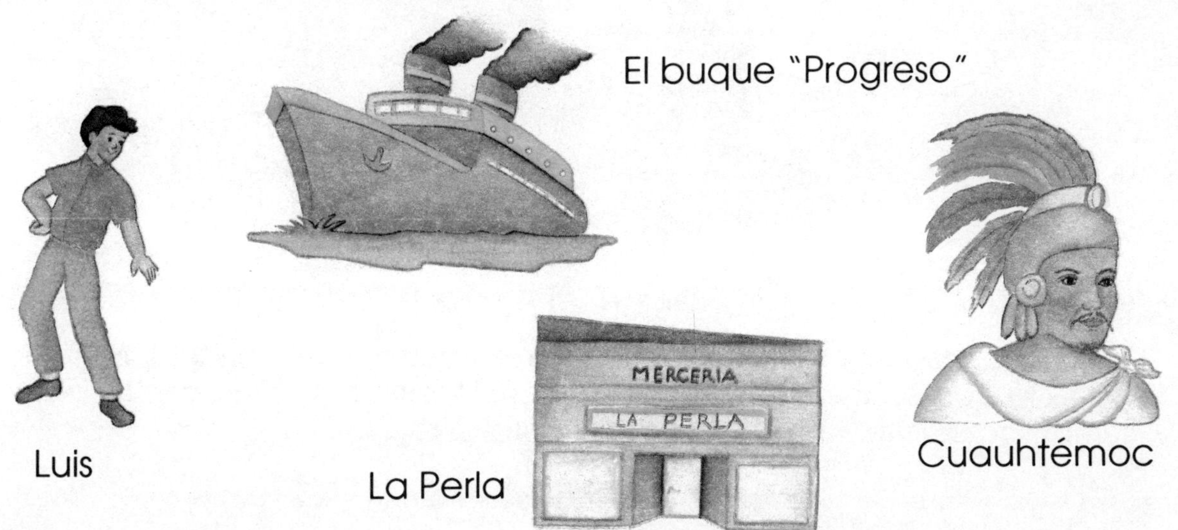

El **sustantivo propio** sirve para designar a:

las personas, las montañas, los ríos, las ciudades, las calles, los buques, los edificios, las casas de comercio, las escuelas y los parques, algunos animales.

La primera letra de todos los **sustantivos propios** es siempre mayúscula.

Ejercicios:

de sustantivos propios

I. Escribe los siguientes sustantivos propios.

De tu mamá. De tu papá. De tu profesor. De la calle donde vives. Del mercado que está más cerca de tu casa. Del parque a donde te gusta ir a jugar.

__________ ______________ ______________ ______________

__________ ______________ ______________ ______________

__________ ______________ ______________ ______________

__________ ______________ ______________ ______________

__________ ______________ ______________ ______________

Revisa si todos los nombres que escribiste principian con mayúscula.

II. Estos dos niños van de paseo. Ella lleva a su muñeca y él a su perro. Inventa un sustantivo propio para cada uno: el niño, la niña, la muñeca y el perro.

Escríbelos empezando con mayúscula.

III. Encuentra y subraya los sustantivos propios que hay en el siguiente párrafo:

La tribu tolteca emprendió su peregrinación desde Huehuetlapallan hasta lo que es hoy el estado de Jalisco. Huemac fue uno de sus sabios sacerdotes. Chalchiutlanetzin su primer rey.

El sustantivo tiene cambios en su terminación

I. Género

Género es la terminación que indica el sexo de las personas, de los animales y el que se supone que tiene las cosas.

Hay dos géneros: **masculino y femenino.**

El masculino se usa para el hombre y para los animales machos.

carpinter**o**

cerd**o**

El femenino se usa para la mujer y para los animales hembras.

enfermer**a**

gat**a**

Según su terminación, un sustantivo puede ser:

masculino

maestr**o**

perr**o**

femenino

maestr**a**

perr**a**

Los objetos son masculinos o femeninos según su uso y su terminación.

jarro

jarra

El sustantivo masculino generalmente termina en **o.**
El sustantivo femenino generalmente termina en **a.**

Ejercicios:
de masculinos y femeninos

masculino — 1

femenino — 2

I. Por la puerta número 1 pasan los sustantivos masculinos y por la 2 los femeninos. De las siguientes palabras escribe en la columna número 1 los sustantivos que deben pasar por la primera puerta y en la columna número 2 los que pasarán por la segunda.

agua, melón, tinta, Irene, caja, Manuel, escuela, México, león, Cholula, regla, papel, balón, sopa, escalera, tambor.

II. Escribe el femenino de los siguientes sustantivos masculinos:
niño, lobo, pastor, león, canario.

III. Escribe un femenino que falta en cada línea.

El gallo y la ____________________ son aves de corral.

La compañera del gato es la ____________________ .

La ____________________ es compañera del pato.

El león y la ____________________ son compañeros.

El niño y la ____________________ van a la escuela.

II. Número

Número es la forma en la terminación de una palabra, que indica si se refiere a uno o a varios.

Hay dos números: **singular y plural.** Singular indica uno. Plural indica varios.

singular | plural

silla | sillas

reloj

relojes

Añadiendo una **s** al sustantivo singular que termine en vocal se cambia por **plural.**

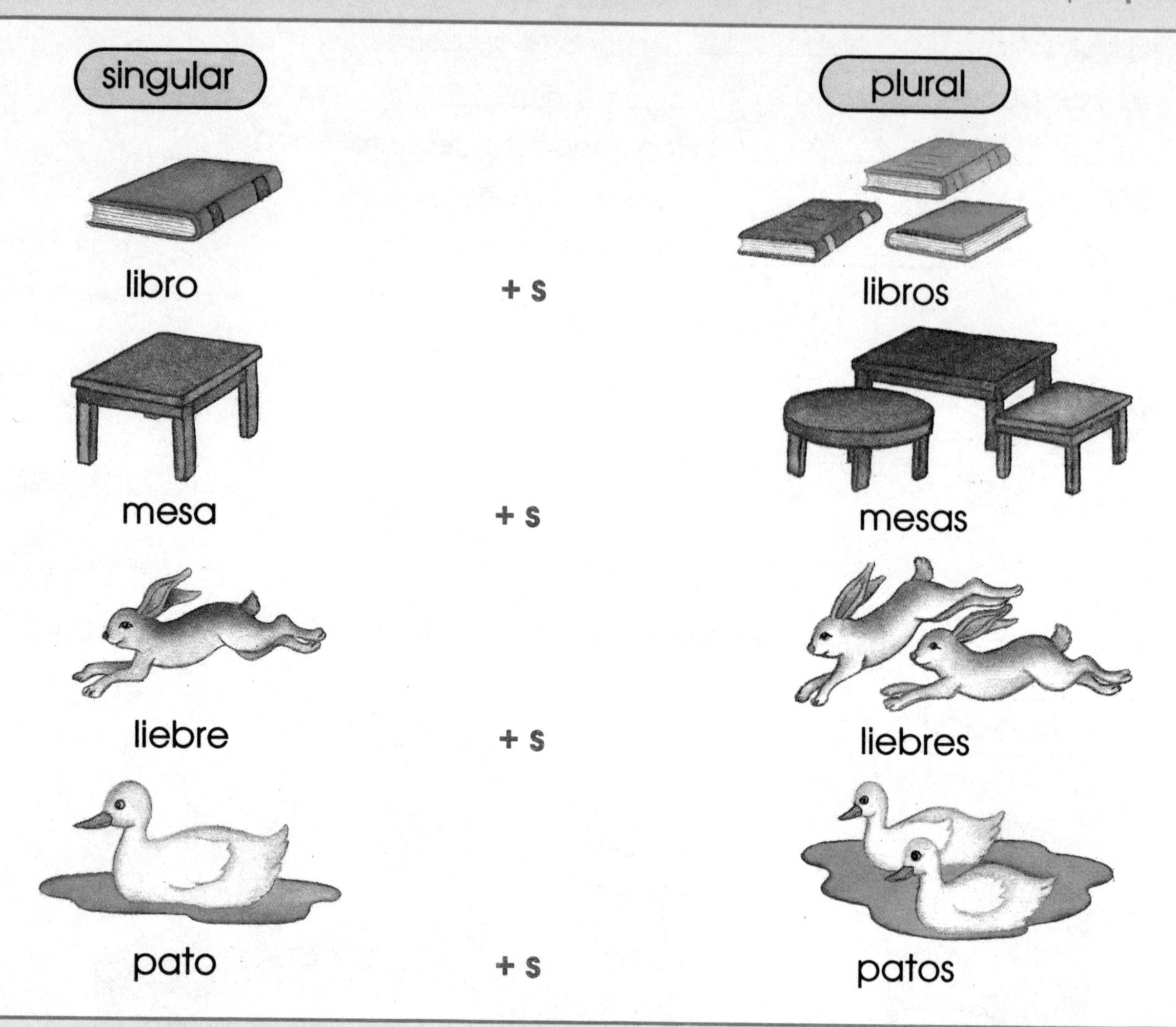

Añadiendo **es** al sustantivo **singular** que termine en consonante se cambia por **plural.**

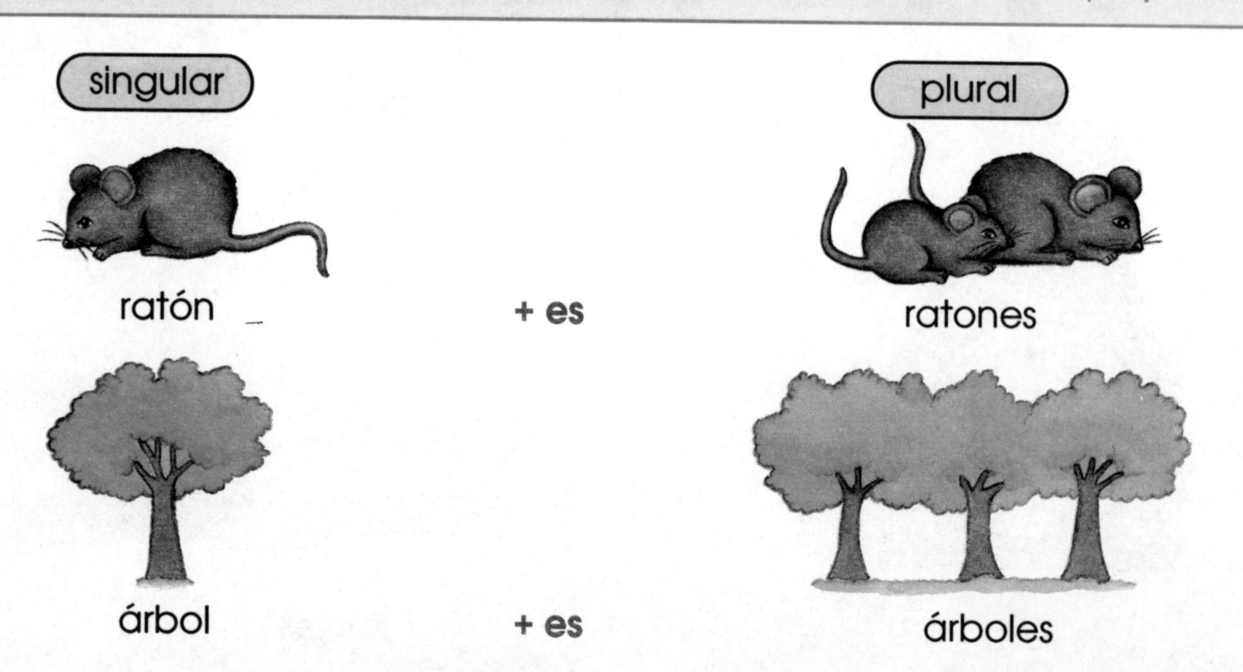

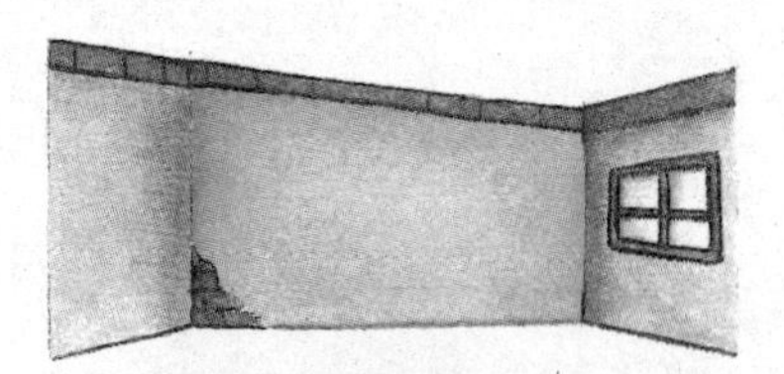

pared + es paredes

mujer + es mujeres

Los sustantivos que terminan en **z** forman su **plural** cambiando la **z** por **c** y añadiendo **es.**

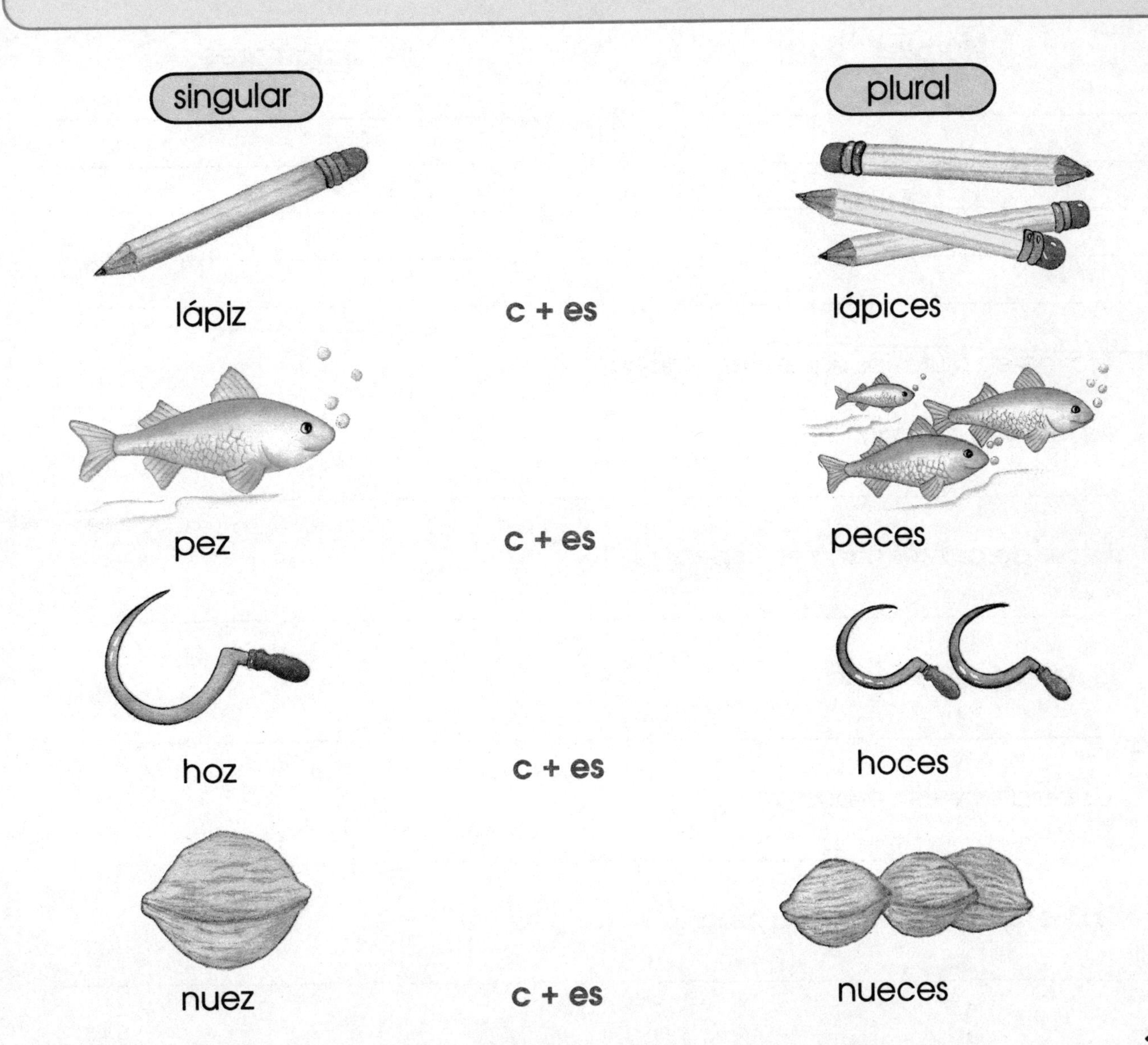

singular		plural
lápiz	**c + es**	lápices
pez	**c + es**	peces
hoz	**c + es**	hoces
nuez	**c + es**	nueces

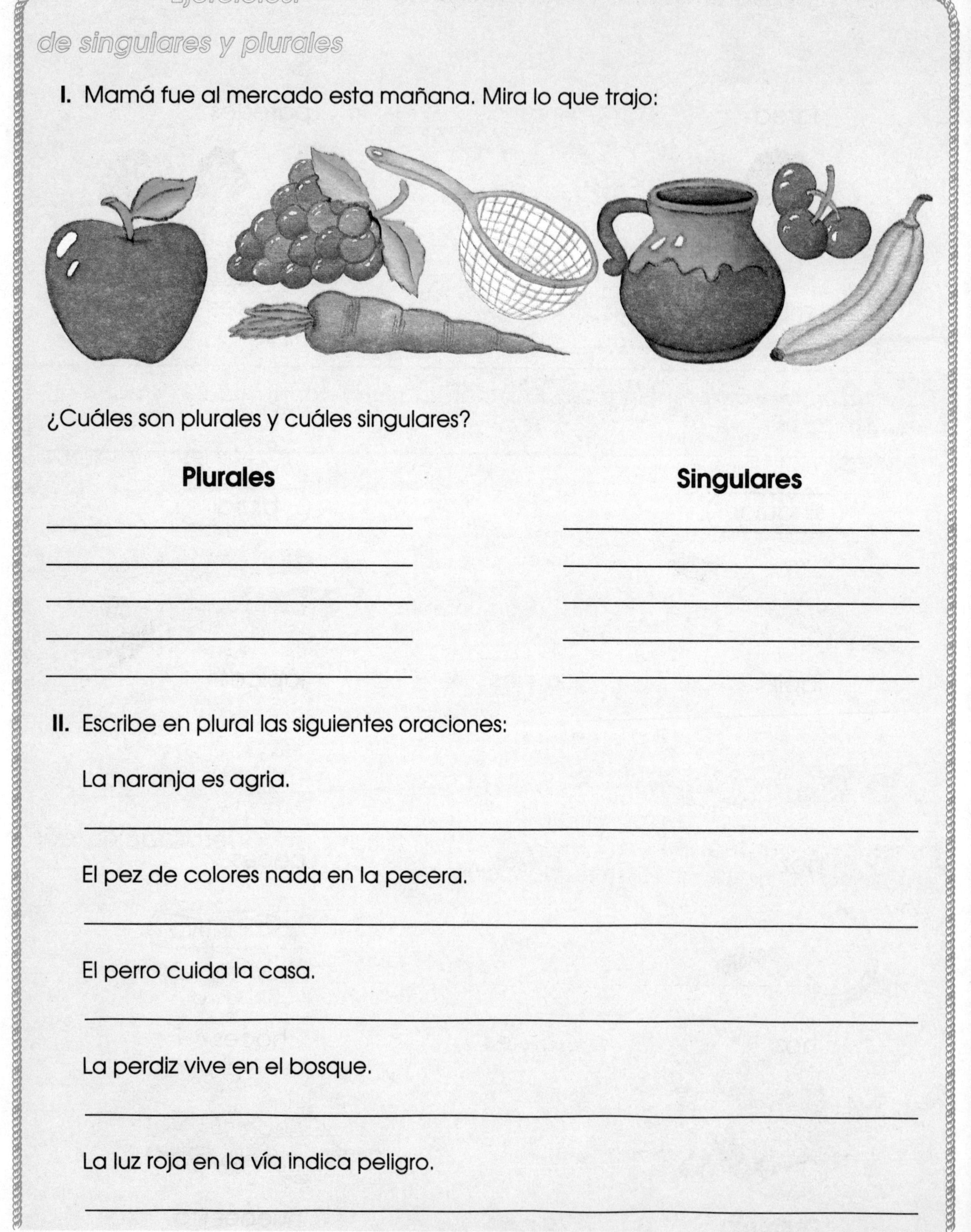

Ejercicios: de singulares y plurales

I. Mamá fue al mercado esta mañana. Mira lo que trajo:

¿Cuáles son plurales y cuáles singulares?

Plurales	**Singulares**

II. Escribe en plural las siguientes oraciones:

La naranja es agria.

El pez de colores nada en la pecera.

El perro cuida la casa.

La perdiz vive en el bosque.

La luz roja en la vía indica peligro.

III. Dibuja el singular en los siguientes sustantivos: patos, ratones, pájaros, conejos, árboles.

IV. Copia en tu cuaderno las siguientes palabras en la columna que les corresponda según formen su plural. Fíjate en el ejemplo.

Maíz, tierra, avestruz, hoz, tren, arroz, caracol, margarita, barniz, gis, peine, miel, pie, cuaderno.

Primera columna	Segunda columna	Tercera columna
+ es Trenes	Maices **z x c + es**	**+ s** Tierras

III. Diminutivo, aumentativo y despectivo

Diminutivo, aumentativo y **despectivo** son formas en la terminación del sustantivo que indican **disminución, aumento** y **desprecio.**

Diminutivo

conejo

conejito

Aumentativo

banco

bancote

El aumentativo algunas veces indica enojo:

¡Qué vestidote me pusieron!

El diminutivo en México se usa para hablar con cariño:
mamacita, amiguito, Anita, Manuelito.
El diminutivo se usa más en México que en otros países.

> La terminación: **ito, ita** expresan disminución.
> La terminación: **ote, ota** expresa aumento.

> Las terminaciones **illo, ucha, aco** expresan desprecio.

Ejercicios:

de diminutivos, aumentativos y despectivos

I. Lucía tiene una casa de muñecas con muebles muy chiquitos. Escribe los nombres de diez de ellos.

______________________ ______________________

______________________ ______________________

______________________ ______________________

______________________ ______________________

______________________ ______________________

II. María, Luis y Juan son hermanos. Su mamá los quiere mucho y lo llama así:

Mariquita, Luisito y Juanito.

Escribe cinco diminutivos de sustantivos de personas.

______________ ______________ ______________

______________ ______________

III. Copia los siguientes párrafos cambiando los sustantivos impresos en negro por lo que dice en el paréntesis.

Luis (diminutivo) recibió de premio un gracioso **perro** (diminutivo) policía de ocho días de nacido. Parecía un juguete. Su **naríz** (diminutivo) era como azabache y sus **dientes** (diminutivo) como **sierra** (diminutivo) de marfil.

Ahora es un **perro** (aumentativo) que infunde miedo. **Carlos** (diminutivo) llora si oye sus ladridos o lo ve enseñando sus **colmillos** (aumentativo) largos y filosos.

Todos los **perros** (despectivo) del vecindario corren despavoridos en cuanto él se asoma.

____

____

____

____

____

____

____

____

____

FAMILIAS DE SUSTANTIVOS

Los sustantivos, como las personas, se agrupan en familias.
De un sustantivo se forman otros muchos que son de su familia.
Ésta es la familia del sustantivo zapato.

Zapato: el calzado del pie.
Zapatilla: forma especial del zapato.
Zapatero: la persona que hace los zapatos.
Zapatería: lugar donde hacen o venden zapatos.
Zapatazo: golpe dado con el zapato.
Zapateado: baile en el que se marca el compás con los zapatos.

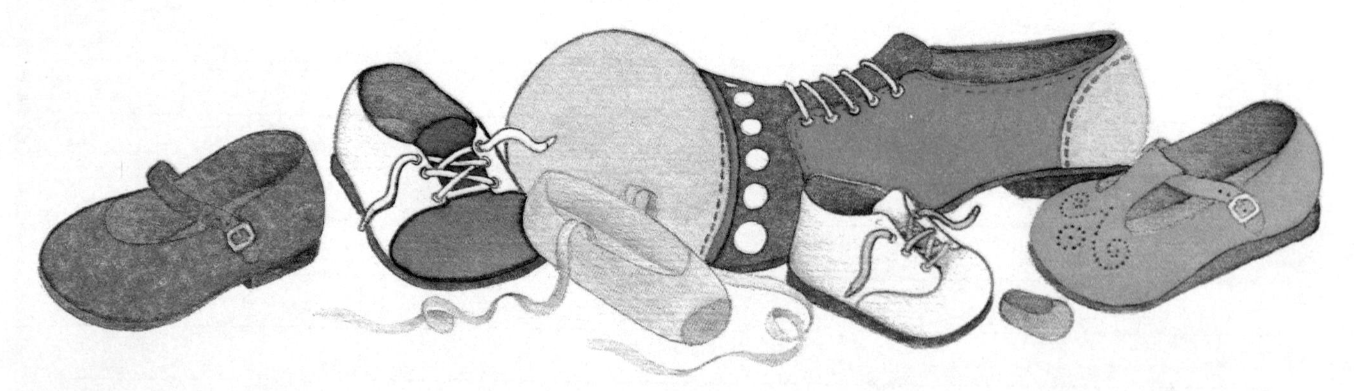

Cada una de las palabras de esta familia conserva el significado de la primera: **zapato.**

Todos los nombres de la familia zapato conservan las letras **zapat.**

En todas las familias de palabras, una, la primera, se llama **primitiva** y las otras **derivadas.**

Zapato es la palabra **primitiva.**

Zapatilla, zapatero, zapatazo, zapatería y zapateado son palabras **derivadas.**

Sustantivos primitivos y derivados

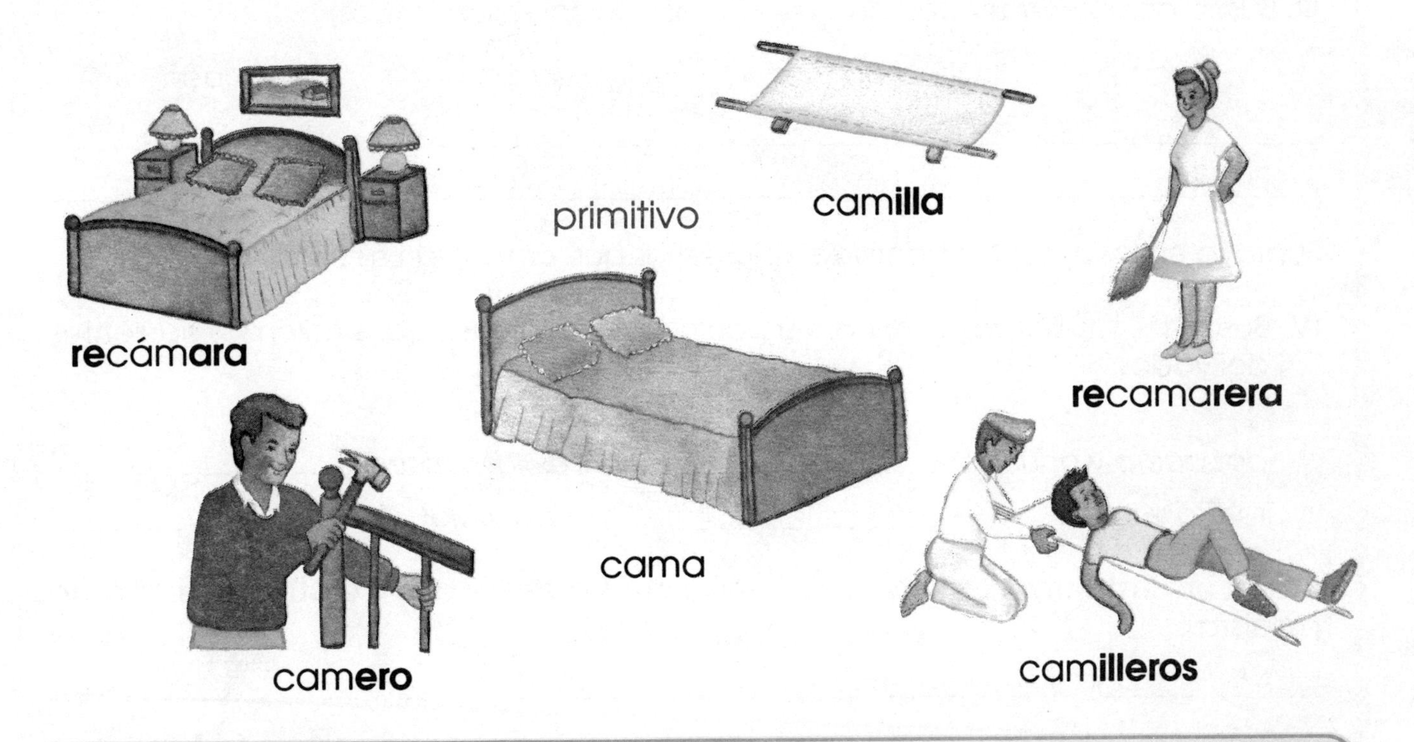

Todos los **sustantivos** derivados conservan parte del significado y de las letras del **primitivo.**

Ejercicios:

de sustantivos primitivos y derivados

I. Escribe los sustantivos derivados del primitivo jabón de acuerdo con las siguientes definiciones:

1. La espuma del jabón. ____________________
2. La casa donde fabrican o venden jabón. ____________________
3. El hombre que hace el jabón. ____________________
4. El recipiente donde se pone el jabón. ____________________

Todos los sustantivos derivados de jabón conservan letras **jab.** Revisa si no cambiaste la **b** por **v.**

II. Escribe el significado de los siguientes sustantivos derivados del primitivo **leche.**

lechería ______________________

lechero ______________________

lechón ______________________

lechera ______________________

III. Busca dos derivados de cada uno de los siguientes sustantivos:

libro	*azúcar*	*limón*	*pan*
________	________	________	________
________	________	________	________

Subraya en los sustantivos derivados, las letras que conservan su primitivo.

IV. Busca los sustantivos primitivos a partir de los cuales se construyen los siguientes derivados:

aguacero y aguador ________ *casilla y casero* ________

torero y toreo ________ *ojera y ojal* ________

Busca un sustantivo primitivo que tenga cuatro derivados y dibuja la familia de palabras.

________ ________ ________ ________ ________

SINÓNIMOS

La recién nacida

Hoy es un día de fiesta para la familia Benítez porque en la madrugada nació una bebita.
Juan Carlos, el hermano mayor escucha la noticia con gran alegría y se apresura a desayunar porque su papá y su tía vienen por él y su hermanito de 5 años, para llevarlos a conocer a la nenita.
Al llegar al hospital se dirigen al cunero. Faltan solamente cinco minutos para que pongan a los bebés frente a la gran ventana.
¡Ya están ahí! La cortina empieza a descorrerse poco a poco y ya se ven las cunitas, unas azules y otras rosas con los bebés muy peinados y dormidos, envueltos en sus suaves cobertores.
Juan Carlos, que ya alcanza la ventana, se para de puntillas para ver mejor cuando la enfermera saca de su cuna a la bebita y la acerca a la vidriera.
— ¡Qué linda mi hermanita! —dice—.
— Mira, ¡qué chula está! —comenta la tía.
— Ay, ¡qué bonita!, —aplaude el hermanito.
— ¿Verdad que es preciosa, niños?, —pregunta el papá.
— Sí, está hermosa, — contesta la abuelita.
— ¿Cuándo nos la vamos a llevar a la casa papá? —pregunta el más pequeño.
— Nada más que lo ordene el doctor, hijito.
Los Benítez contemplan extasiados a la nena que duerme plácidamente, con una tierna sonrisa dibujada en el rostro.

Los **sinónimos** son palabras que tienen el mismo significado.

Ejercicios: de sinónimos

I. Lee los enunciados del diálogo y enlista cinco palabras que describan a la bebita.

Estas palabras se llaman **sinónimos**. El español es un idioma rico en sinónimos. Las personas cultas emplean sinónimos al hablar y al escribir.

II. Relaciona los sustantivos de la izquierda con su sinónimo.

1. niño	( ) calzado
2. bebé	( ) can
3. estudiante	( ) habitación
4. perro	( ) rostro
5. gato	( ) muchacho
6. zapatos	( ) residencia
7. pasto	( ) minino
8. cara	( ) alumno
9. casa	( ) nene (a)
10. recámara	( ) césped

III. Escoge un sinónimo de la lista de la derecha y sustituye los adjetivos calificativos que están subrayados.

1. Somos unos niños felices.	afable
2. El dueño de esa tienda es rico.	apta
3. Se ven débiles porque no quieren comer.	descortés
4. ¿Por qué eres desatento?	acaudalado
5. La secretaria es competente.	dichosos
6. ¡Qué persona tan amable!	enfermizos

IV. Busca en el diccionario los sinónimos de los siguientes verbos y escribe un enunciado con cada uno.

alimentarse, recitar, despegar, necesitar, aliviarse, cuidar, acusar, insistir, notar, obedecer.

_______________________________ _______________________________
_______________________________ _______________________________
_______________________________ _______________________________
_______________________________ _______________________________
_______________________________ _______________________________

Los sustantivos, los adjetivos calificativos y los verbos pueden tener uno o más sinónimos. Cuando uses alguno de ellos, busca un sinónimo para que enriquezcas tu vocabulario.

ANTÓNIMOS

El desfile militar

— ¡Ya vienen! ¡ya vienen!
— ¡Ya se ven muy cerquita! –exclaman emocionados Paco, Rosita y Gerardo que han ido a ver el desfile con su tío David.
— ¡Cuántos soldados! Los altos van delante y los bajitos hasta atrás ¿verdad tío David? –pregunta Rosita que es la primera vez que ve un desfile.
— Mira Paco primero están pasando los tanques pesados y al último los ligeros.
— Sí, y ¿ya viste los perros? ¡qué feroces!
— Pues claro, si fueran manzos no sabrían pelear.
— Oigan muchachos, ¿ya vieron que rifles tan chiquitos?
— No Rosita, los rifles son los grandes. Esas son metralletas, por eso son más pequeñas.
— ¿Ven bien muchachos?
— No, tío. Yo veo muy mal porque me está tapando ese señor.
— A ver Rosita, te voy a cargar ¿quieres?
— Bueno, un ratito nada más para que no te canses.

Los chicos admiran con emoción el desfile militar y saludan respetuosamente a la bandera tricolor.

Ejercicios: de antónimos

I. Contesta las siguientes preguntas:

1. ¿Cuáles soldados van hasta adelante? ____________________
2. ¿Cómo son los soldados que van hasta atrás? ____________________
3. ¿Cuáles tanques pasan primero? ____________________
4. ¿Cuáles tanques van al último? ____________________
5. ¿Cómo deben ser los perros de pelea? ____________________
6. ¿Cuáles perros no sabrían pelear? ____________________
7. ¿Cuál es la diferencia de tamaño entre los rifles y las metralletas?
____
8. ¿Rosita ve bien o mal?
9. ¿Paco y Gerardo ven mal o bien? ____________________

II. Escribe por pares las palabras que contestaste en las preguntas anteriores.

____________ ____________ ____________ ____________ ____________

____________ ____________ ____________ ____________ ____________

Estas palabras se llaman antónimos.

Los **antónimos** expresan ideas contrarias.

III. Completa los siguientes enunciados con el antónimo de las palabras que están subrayadas.

1. La tarea de hoy estuvo muy difícil, en cambio la de ayer, ¡qué __________!
2. Construí un túnel muy largo y mi hermanito hizo uno muy __________.
3. ¡Qué lejos está mi abuelito, pero qué __________ de mi corazón.
4. ¿Por qué estás __________ si la fiesta está tan divertida?
5. Su ropa estaba limpia, pero sus zapatos se veían muy __________.
6. Me gustan las frutas dulces y también las __________.
7. Nos pidieron cuadernos gruesos y __________.
8. En mi tierra hay puentes anchos y __________.
9. La sopa __________ y la aguada me gustan por igual.
10. A veces eres simpático y a veces __________.

IV. ¿Cuál es lo contrario de . . .? triste, ir, miedo, bajar, frío, dormido, trabajador, hablar, oscuro, pacientes.

____

____

V. Del ejercicio anterior escoge cuatro palabras con sus antónimos y escribe cuatro enunciados parecidos a los del ejercicio III.

____

____

____

____

Revisión de sustantivos

I. Susana y Enrique pintaron en el patio un caracol muy grande. En cada división escribieron un sustantivo. Al brincar van diciendo estas palabras: **propio, plural, singular, masculino, común, femenino, diminutivo, aumentativo, despectivo, primitivo** y **derivado.**

Observa el caracol y brinca como ellos, de ida y de regreso.

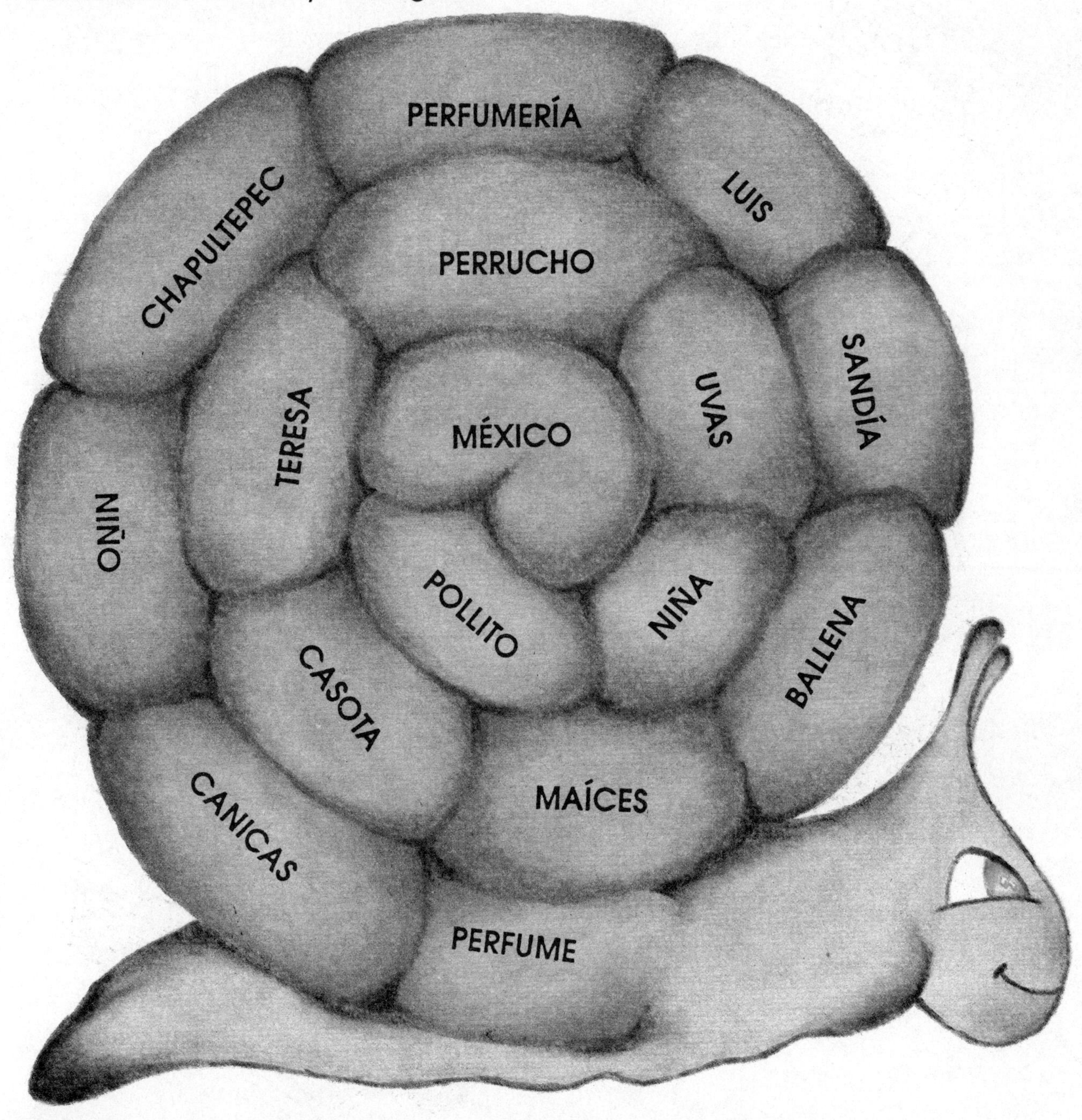

Inventa otros caracoles y juega con tus compañeros.

II. Estudia las palabras que hay en esta escalera ¿Hasta dónde puedes llegar, sin equivocarte?

Di el sustantivo que elijas de aquello que pide el escalón.

III. Este barco representa al sustantivo.

Cada vela es una variación del sustantivo.

Juego

El navío cargado de ...

Forme un círculo con los niños. Haga pasar a uno de ellos al centro. Elija una variación de sustantivo por ejemplo, diminutivo. El niño del centro arrojará una bolita de papel a uno del círculo diciendo: "Va un navío cargado de..." El que reciba la bolita dirá un diminutivo.

El niño que pierda cambiará al del centro.

Marque tiempo para este juego y premie en alguna forma a los que no pierden.

IV. Encuentra los sustantivos que hay en la siguiente lectura. Escríbelos en tu cuaderno anotando también la clase de sustantivo de que se trata.

Mi padre

Cuando despierto, ¡ya se fue al trabajo! Cuando el sueño me vence y me acurruco en mi cama, está su luz encendida y si despierto a mitad de la noche, mis ojos adormilados ven todavía el reflejo de su lámpara.

¡Cuánto, cuánto trabaja papá! ¿Cuánto dinero tendrá que ganar? Mis zapatos, mi ropa, mis libros, mis juguetes, la renta que el casero viene a cobrar cada último día del mes, y, ¡la comida! ¡Cuánto, cuánto dinero tendrá que ganar!

Mamá nos dice a veces que está cansado y no permite que le molestemos con juegos ruidosos y gritos destemplados; pero él, nunca se muestra enfadado y hasta nos ayuda a hacer las tareas, poniéndonos en su mismo escritorio a trabajar. Muchas otras veces se divierte mucho jugando con nosotros.

Mi padre me parece un árbol muy alto y lleno de follaje que da abundantes frutos para alimentarnos y una sombra muy fresca y muy amplia para que todos descansemos.

¡Cuánto quiero a mi papá! ¡Cuánto anhelo ayudarlo a trabajar!

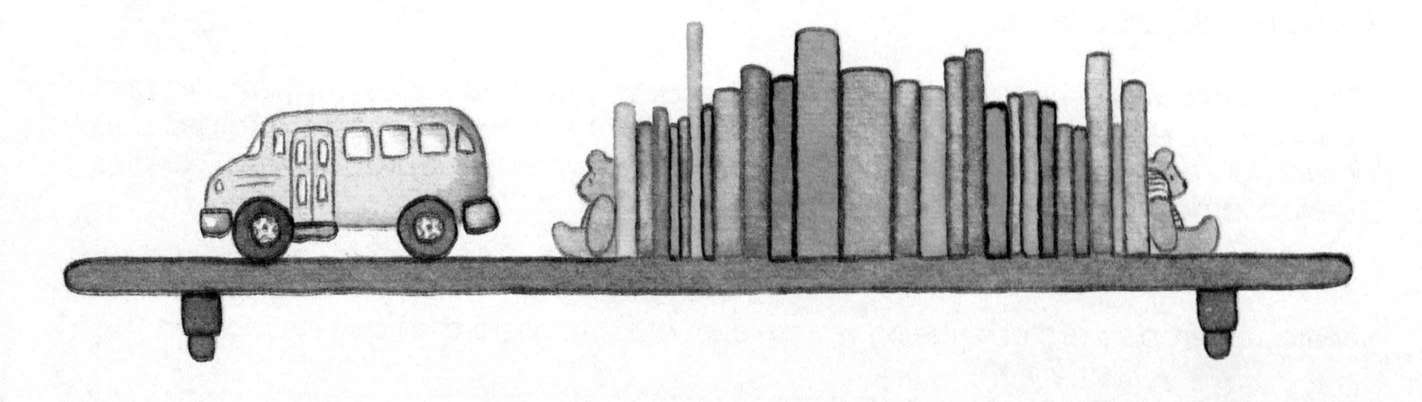

PALABRAS QUE MODIFICAN AL SUSTANTIVO

Mis mejores amigos

— ¿Cuántos amigos tienes en la escuela Juanito?
— Me preguntó ayer mi mamá.
— Tengo varios mamá, pero sólo **dos** son **mis mejores** amigos: René y Gabi. René es muy **simpático.** Nos hace reir todo **el** tiempo y además es **el** alumno más **aplicado** de la clase.
Siempre saca **buenas** calificaciones.
Gabi es la niña más **chiquita** del salón. Es **vivaracha** y **risueña.** También es muy **inteligente** y **estudiosa.**

Los *dos* salieron en **el** cuadro de honor **el** mes pasado.
— Mira: **estos** retratos son suyos.

Reúna a los alumnos en grupo para leer este párrafo, platicar de sus amigos y hacer estos ejercicios.

I. Copia en tu cuaderno las palabras en negritas junto con el sustantivo que les sigue en algunos casos.

Estas palabras se llaman **adjetivos**.

Los adjetivos modifican a los **sustantivos** expresando una característica en particular del mismo.

II. Escribe oraciones que digan cuántos amigos tienes, quiénes son, cuántos años tienen y cómo es cada uno de ellos.

EL ADJETIVO CALIFICATIVO

obrero **trabajador**

madre **amorosa**

toro **bravo**

café **caliente**

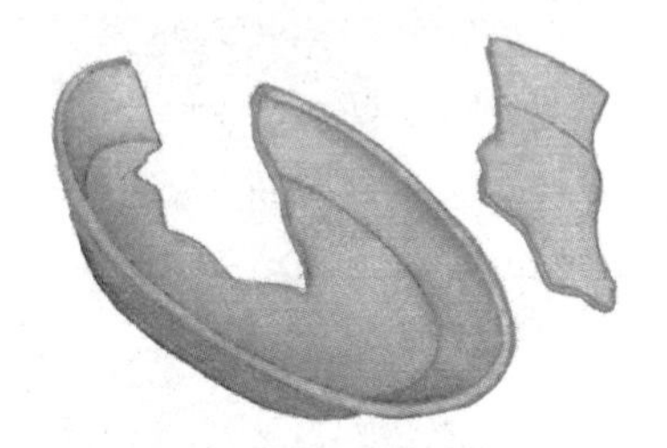

plato **roto**

niño **estudioso**

El **adjetivo calificativo** modifica al sustantivo expresando algunas de sus cualidades.

Ejercicios:
de adjetivos calificativos

I. Piensa qué adjetivo calificativo emplearías para:

un perico que habla mucho ________________

un perro que cuida y defiende a su amo ________________

una plana que tiene manchas de tinta ________________

un foco que da mucha luz ________________

un tren que corre muy rápido ________________

un alumno que siempre hace su tarea ________________

los campesinos que se levantan muy temprano ________________

II. La columna **A** es de sustantivos; la **B** de adjetivos calificativos. Busca el adjetivo que pueda calificar correctamente a cada sustantivo. ¿Cuál sobra? ¿Cuál se repite?

III.

"A"	"B"	"A"	"B"
martillo	filosa	frijol	fiel
perro	bayo	gallina	trabajador

hoz	ponedora	hombre	pesado
leche	fresco	cosecha	blanca
aire	abundante	agua	fresca

IV. Busca en el diccionario el significado de los adjetivos siguientes:

disciplinado asalariado explotador intelectual responsable solidario

Usa cada uno de los adjetivos en una oración corta.

____

____

____

____

____

____

EL ADJETIVO DETERMINATIVO NUMERAL

cinco patitos

dos huacales

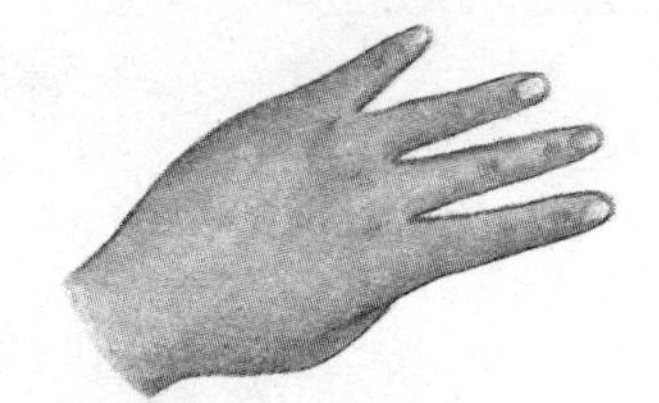

cuatro dedos

dos haces

dos niños

dos palomas

El **adjetivo determinativo numeral** modifica a los sustantivos expresando cuántos son.

Ejercicios: de adjetivos determinativos numerales

I. Escribe el adjetivo determinativo numeral que falta en cada dibujo.

________ gomas ________ piñas ________ instrumentos de labranza

II. Encuentra y subraya seis adjetivos determinativos numerales en la siguiente carta:

Mi querida tía:
Ayer cumplí diez años. ¡Qué día tan feliz pasé! Papá me dio de regalo una máquina con tres furgones de carga y cuatro carros de pasajeros. Mamá me compró una bolsa de cincuenta canicas.
También recibí los caramelos que tú me mandaste. Están exquisitos.
Te mando muchos besos y mi cariño.

Francisco

III. Anita no puede resolver su problema, ayúdala tú.

Un metro de manta vale catorce pesos. ¿Cuántos metros compraré con setenta pesos? ____

Encuentra los adjetivos determinativos numerales que hay en el problema anterior

EL ADJETIVO DETERMINATIVO POSESIVO

Primera persona	Segunda persona	Tercera persona
singular	singular	singular
mi serrucho	**tu** mochila	**su** martillo
nuestro país	**su** bandera	**su** oso
plural	plural	plural

Ejercicios:
de adjetivos determinativos posesivos

I. Escribe un adjetivo determinativo posesivo en cada línea.

Carlos Villegas es el capitán del equipo Aztecas de ________________ escuela
________________ nombre es conocido de todos ________________ compañeros.
Cuando él juega ________________ triunfo está seguro.

II. Anota 1a., 2a. o 3a. persona, en cada adjetivo determinativo posesivo de la lista siguiente, según pertenezca a la primera, a la segunda, o a la tercera persona.

________________ tu padre
________________ nuestra fábrica
________________ sus pinzas (de ustedes)
________________ mi parcela
________________ sus trabajos (de ellos)
________________ su azadón (de él)

_______________ su reloj (de usted)

_______________ su nombre (de ella)

_______________ nuestras hermanas

_______________ tus instrumentos

_______________ sus zapatos (de él)

_______________ mi lección

III. Escribe dos oraciones usando el adjetivo determinativo posesivo de segunda persona singular masculino.

EL ADJETIVO DETERMINATIVO DEMOSTRATIVO

a) ***Este*** barco y ***esta*** maceta están cerca.

b) ***Ese*** barco y ***esa*** maceta están más retirados.

c) ***Aquel*** barco y ***aquella*** maceta están muy retirados.

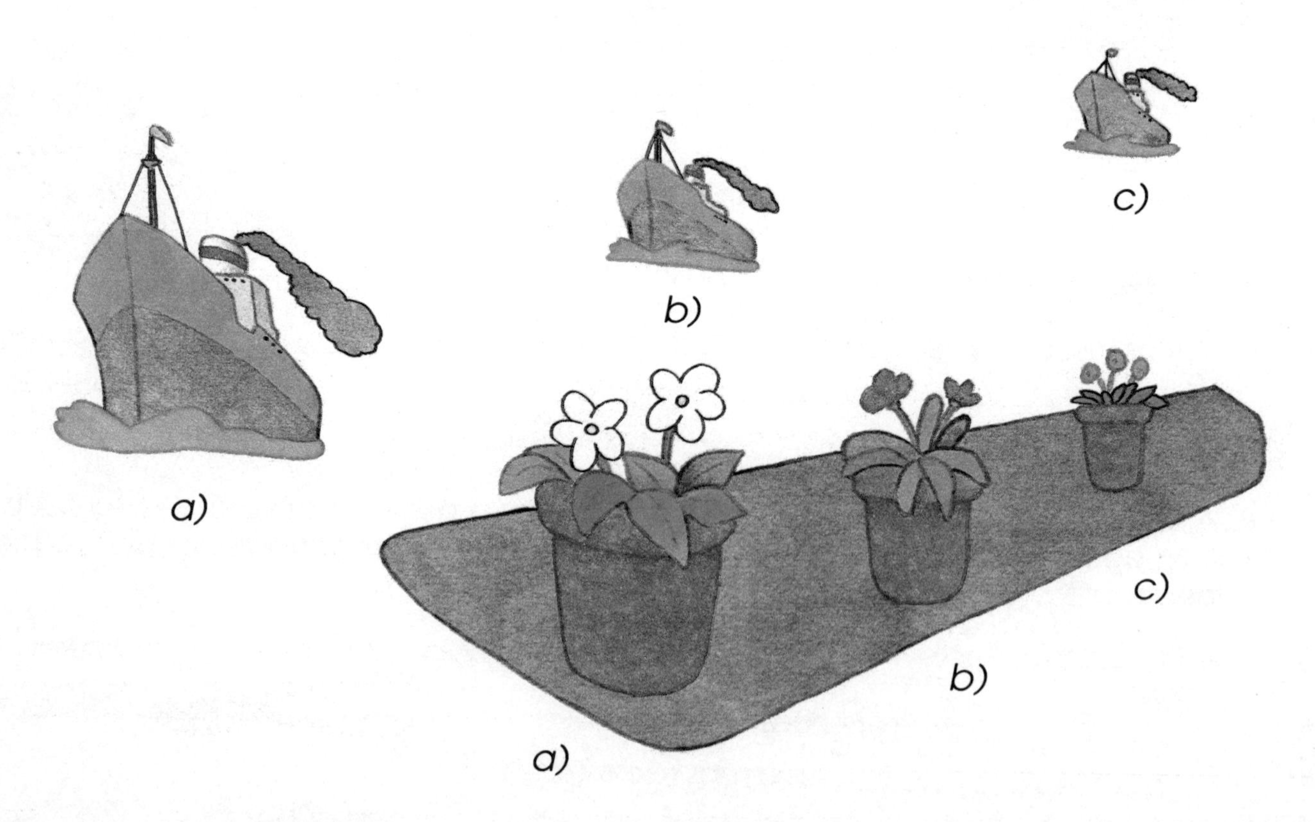

El adjetivo determinativo demostrativo modifica al sustantivo señalando el lugar que ocupa en relación con las personas gramaticales.

Este, esta, se usan para señalar cosas que están más cerca de la persona que habla.

Ese, esa, para señalar cosas que están cerca de la persona con quien se habla.

Aquel, aquella, para señalar cosas que están más o menos a igual distancia de las dos personas que hablan.

Ejercicios:

de adjetivos determinativos demostrativos

I. Escribe el adjetivo demostrativo este, ese o aquel en cada línea de puntos.

Mi primo Pepe no conoce el D.F. Ayer fuimos a la Alameda y le expliqué así: ____________ parque es la Alameda: ____________ palacio de mármol blanco es el Palacio de Bellas Artes ____________ edificio de la esquina es el Correo.

II. Según los adjetivos demostrativos usados en el siguiente párrafo, di qué es lo más *distante* y qué lo más *cercano* de lo que se ve desde esa azotea.

Desde la azotea de mi casa contemplo un hermoso panorama: ***esas*** torres gemelas son de la Catedral; **este** grupo de árboles copudos pertenece al jardín del Carmen; ***aquellas*** montañas azules son de la Serranía del Ajusco.

III. El abuelo dice: "***Aquellos*** tiempos eran hermosos". Mamá contesta: "***Estos*** tiempos también lo son".

Explica por qué el abuelo usó el adjetivo demostrativo *aquellos* y la mamá *estos*.

____

____

____

____

____

ADJETIVO DETERMINATIVO O ARTÍCULO

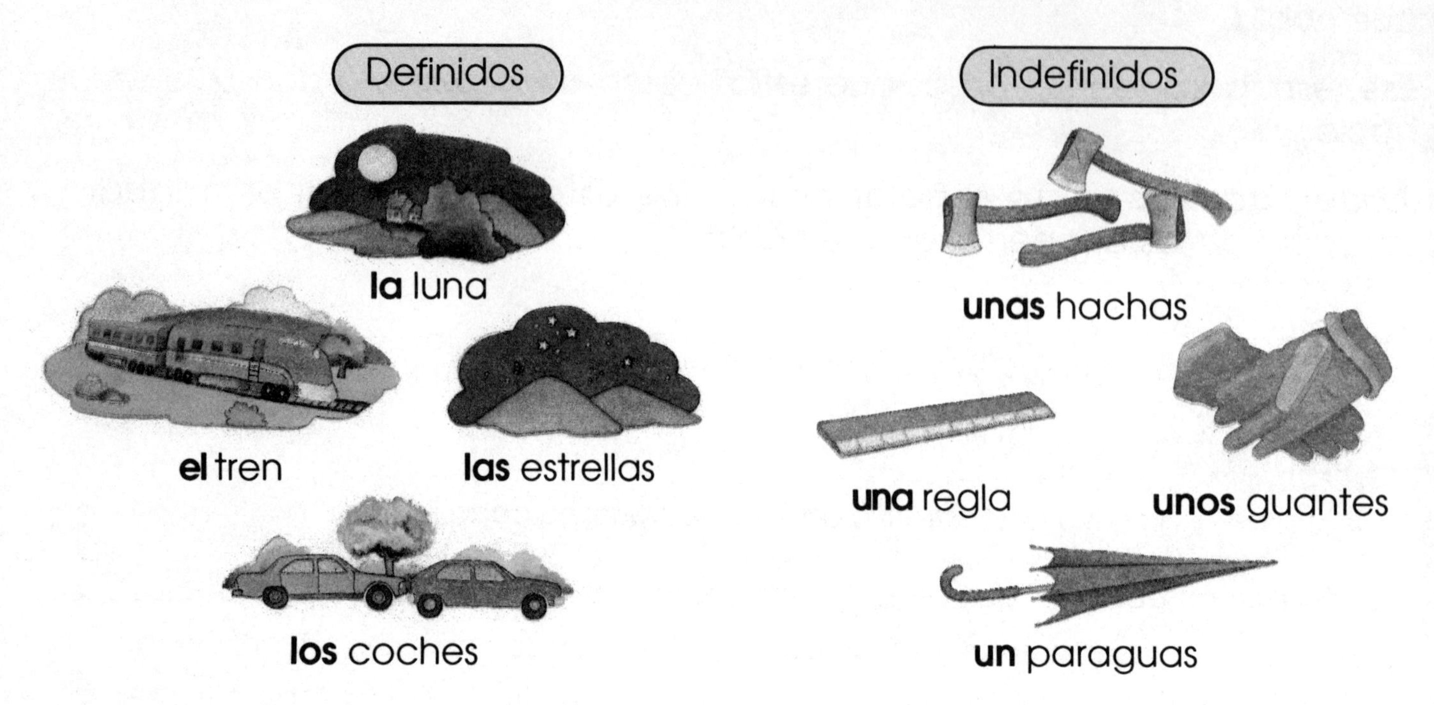

Las palabras: *el, la, los, un, una, unos, unas*, indican si el nombre es masculino o femenino, singular o plural. Siempre van antes del sustantivo. Se llaman **adjetivos determinativos** o **artículos**.

Ejercicios:

de adjetivos determinativos o artículos

I. Escribe el adjetivo determinativo o artículo que le corresponda a cada uno de los siguientes nombres:

Definidos		**Indefinidos**	
____________	tijeras	____________	fábrica
____________	arado	____________	bosque
____________	escuela	____________	pala
____________	labrador	____________	panadero
____________	lecciones	____________	canicas

II. Escribe tres sustantivos que lleven artículo definido femenino plural y dos de artículo indefinido masculino singular.

____________________ ____________________

____________________ ____________________

III. Encuentra los artículos que hay en el siguiente párrafo y di si son definidos o indefinidos.

El minino de la casa
atisba quieto un rincón
donde tiene su escondite
un inocente ratón.

La garra afila y el diente
el pícaro comilón
y se relame el bigote
con la más cruel intención.

¡Escóndete ratoncito,
que el gato te va a cazar!
¡Estate muy quietecito
que te quiere devorar!

El sustantivo y el adjetivo son compañeros

caballo brioso

Si el sustantivo es masculino
el adjetivo debe ser masculino

ventana abierta

Si el sustantivo es femenino
el adjetivo debe ser femenino

loro travieso

Si el sustantivo es singular
el adjetivo debe ser singular

leones amaestrados

Si el sustantivo es plural
el adjetivo debe ser plural

pesa grandota

pesa chiquita

El adjetivo también puede ser aumentativo o diminutivo al expresar una cualidad.

Ejercicios: de sustantivos y adjetivos

I. Escribe las letras que faltan en los siguientes sustantivos y adjetivos:

lobo hambrient _________
media _________ nuevas
cuaderno rayad _________
niñas aplicad _________
mujer hacendos _________
zapat _________ rot _________
comid _________ sabros _________
labi _________ roj _________

II. Ayer salió del nido la gallina negra con diez pollitos primorosos. Parecen motas de seda amarilla que corren a esconderse bajo las alas tibias de su madre amorosa.

Busca en el párrafo anterior y escribe en la línea un sustantivo masculino plural con su adjetivo.

____

Un sustantivo femenino singular con su adjetivo.

____

III. Escribe en cada espacio uno de los siguientes adjetivos: ***secreta, oscuro, valiente,*** **ligera.**

El _________________ aviador cruzó el espacio _________________ en su máquina _________________ con la rapidez del rayo. Llevaba una orden _________________ para el General.

Revisión de adjetivos

En el cuadro de la siguiente página escribe en cada casilla los cinco adjetivos que le pertenecen de la lista siguiente:

ocho días
nuestra maestra
perro valiente
este colegio
casa limpia
pan caliente
mi boleta

la cooperativa
un gendarme
aquel árbol
doce duraznos
ese dulce
tinta roja
su lápiz

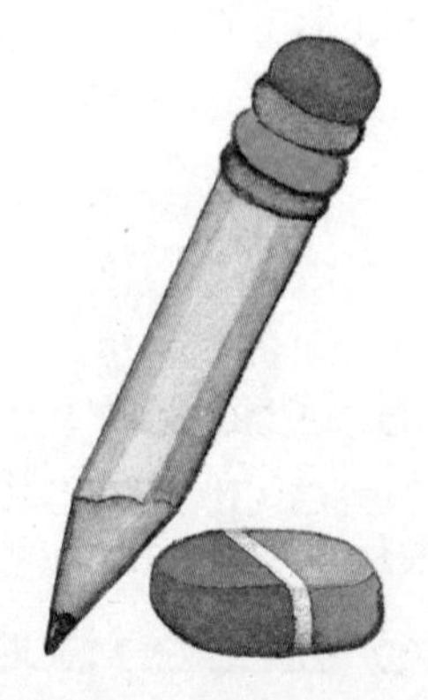

los trabajadores
este director
esa calle
ocho años
cinco obreros
unas casas
unas paletas
aquella nube
tu hermanito
quince pesos
niño travieso

CALIFICATIVOS	DETERMINATIVOS			
	POSESIVOS	NUMERALES	DEMOSTRATIVOS	ARTICULO
1. ________	1. ________	1. ________	1. ________	1. ________
2. ________	2. ________	2. ________	2. ________	2. ________
3. ________	3. ________	3. ________	3. ________	3. ________
4. ________	4. ________	4. ________	4. ________	4. ________
5. ________	5. ________	5. ________	5. ________	5. ________

Juego

Escriban en dos cartones iguales veinte sustantivos y en otros veinte adjetivos calificativos que les convengan. Distribuyan los cuarenta cartones indistintamente entre los niños. Señale un lado del salón para el partido "sustantivos" y otra para "adjetivos".

Pida que ocupen sus lugares. Los niños que se equivoquen seguirán en el juego.

Cuando se hayan formado pasará alternativamente un niño de cada grupo a elegir el cartón compañero del suyo. Los que lo hagan bien aumentarán un niño a su partido. Ganará el partido más numeroso después de diez minutos.

Juego de la tómbola

Reparta a los niños tarjetas o rectángulos de papel en los que puedan escribir una oración con adjetivos. Pida que la fila A escriba oraciones con adjetivos calificativos; la fila B posesivos; la C, numerales; la D, demostrativos y la E, artículos. Cada fila llevará el nombre del adjetivo que llevan las oraciones. Depositen las tarjetas en la urna conforme las terminen los niños y revuélvanlas. Que cada niño pase a tomar una tarjeta o un papelito, que la lea y se integre en la fila en que se encuentra esa clase de adjetivo.

Encuentra los adjetivos que hay en esta lectura y clasifícalos con tus compañeros de grupo.

Mis compañeros

Somos un grupo de cincuenta alumnos, más niños que niñas, los que formamos el cuarto año. Todos somos casi de la misma edad. Algunos hemos estudiado primero y segundo años en esta escuela, otros vienen por primera vez. Hay un niño muy chico, debe ser muy inteligente para estar ya en cuarto. Hay otro más grande, más alto y con voz un poco más gruesa. Es serio y aplicado. Los dos son alumnos nuevos.

Cuando estamos todos juntos parecemos una gran familia, aunque, por lo pronto, un poco distanciados porque no nos hemos conocido bien en los tres primeros días de clases. A fin de año todos seremos grandes amigos, ¡diez meses estaremos juntos!

Mamá me recomienda que sea amigable con cada uno de mis compañeros, que nunca juegue bruscamente con ellos ni les diga una sola palabra ruda que les ofenda. Que los trate como hermanos por el hecho de estudiar en la misma escuela. Seguiré sus consejos en lo que pueda. Creo que será fácil hacerlo.

EL PRONOMBRE PERSONAL

Vamos a cambiar estampas

— ¿Cuántas estampas trajiste **tú**?
— **Yo** sólo encontré **éstas**, pero Gloria me regaló las **suyas**.
— **Ella** tiene más que **nosotros** ¿verdad?
— A ver. Vamos a juntar las **mías**, las **tuyas** y las **suyas** para saber cuáles son iguales.
— ¡Bueno! **ésas** son de caricaturas y **éstas** de películas.
— **Tú** tienes muchas iguales ¿las cambiamos?

I. Lee este diálogo tomando el papel de lo personajes. Luego pregunta de qué se trata y copia en tu cuaderno las palabras en negritas. Estas palabras se llaman **pronombres.**

> **Pronombre** es la palabra que se usa en lugar del sustantivo.

Hay varias clases de pronombres.

EL PRONOMBRE PERSONAL

Cuando hablas algo de ti mismo, en lugar de tu nombre, dices: **yo**.
Cuando hablas con alguien, en lugar de repetir cada momento su nombre, dices: **tú**.
Cuando platicas de otra persona dices: **él** o **ella.**
Cuando hablas de otras personas considerándote con ellas dices: **nosotros, nosotras.**

Cuando les hablas a varias personas, usas el plural: **ustedes.**

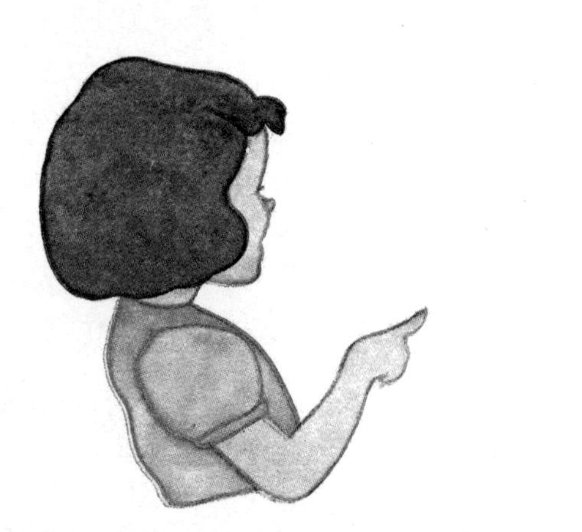

Cuando hablas de varias personas dices: **ellos, ellas.**

Yo, tú, él, nosotros, nosotras, ustedes, ellos, ellas son **pronombres personales.**
Los pronombres **tú** y **él** se escriben siempre con acento.

Personas gramaticales

Primera persona: *yo, nosotros, nosotras.*
Segunda persona: *tú, ustedes.*
Tercera persona: *él, ella, ellos, ellas.*

Primera persona: es la que habla o las que hablan.
Segunda persona: es con la que se habla o con las que se habla.
Tercera persona: es de la que se habla o de las que se habla.

Ejercicios: de pronombres personales

I. Estos son los juguetes de Teresa y de Juan.

Di cuáles son de Juan y cuáles de Teresa, usando los pronombres él y ella.

La muñeca es de ______________________________ .

La carretilla es de ______________________________ .

II. Encuentra cuatro pronombres personales en el párrafo siguiente:

Mamá y papá me quieren mucho. Ella me cuida a cada momento y él gana dinero para mi comida y mi ropa.

Cuando yo sea grande trabajaré para ellos.

III. Cambia los sustantivos impresos en negro en las oraciones siguientes por pronombres personales.

1. Guillermo y Anita ayudan a su mamá diariamente.
   Anita barre la casa, **Guillermo** compra la leche.

2. En la clase de trabajos manuales hay niños y niñas.
   Los niños construyeron un aeroplano de juguete.
   Las niñas una maquinita de coser.

____

____

____

____

EL PRONOMBRE POSESIVO

El adjetivo posesivo sin el sustantivo al cual modifica se llama **pronombre posesivo.**

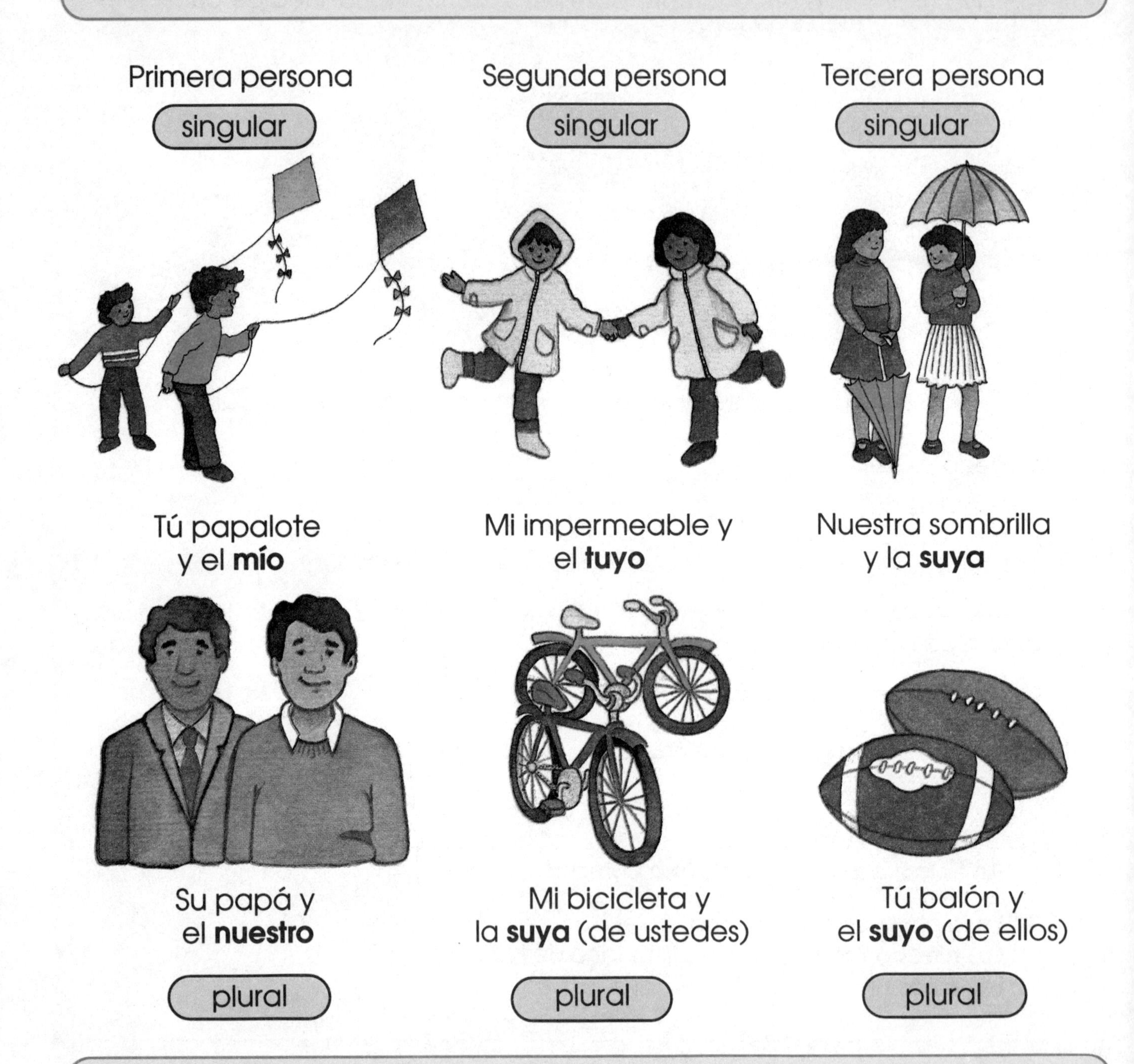

El **pronombre** sustituye al **sustantivo.**

Cuando usamos el adjetivo posesivo suprimiendo el sustantivo, se convierte en *pronombre posesivo*: ¡Pobre gatito *mío*! (Adjetivo posesivo). Eres *mío*. (Pronombre posesivo).

Ejercicios: de pronombres posesivos

I. Subraya el adjetivo o pronombre posesivo y escribe en la línea de cual de los dos se trata.

_______________ La bata rota es de Carmela, la mía es nueva.
_______________ Juan le puso su nombre al cuaderno,
_______________ pero no es suyo.
_______________ Alex dejó este libro sobre el tuyo.
_______________ Mi mamá no quiere a mi araña en la casa.
_______________ A lo lejos veo a tu hermanita.
_______________ Este suéter tiene una marca parecida a la mía.

II. Completa los enunciados con un pronombre posesivo.

1. Oye Pepe, mi casa tiene dos recámaras. ¿Cuántas tiene la _______________?
2. Esta chamarra no es de Juan. La _______________ es más grande.
3. Vamos a jugar. Aquí está tu raqueta, ¿ y la _______________?
4. Mira, Bety tiene puesto mi escudo. ¿Quién se puso el _______________?
5. Lalo anda en su moto y su hermano en la _______________.
6. Yo tengo mi almohada y usted la _______________.
7. Esta es su banca. La _______________ tiene nuestro nombre.

EL PRONOMBRE DEMOSTRATIVO

El adjetivo demostrativo sin el sustantivo al cual modifica se llama **pronombre demostrativo.**

singular

Este *vaso* *o* **éste**

singular

Ese *reloj junto a* **ése**

singular

Aquel *velero y* **aquél**

plural

Estos pollitos
con **éstos**

plural

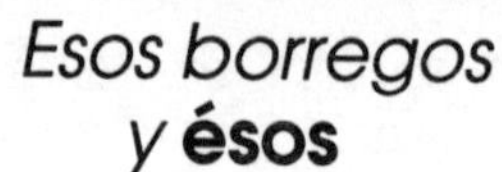

Esos borregos
y **ésos**

plural

Aquellos árboles
además de **aquéllos**

El pronombre demostrativo se escribe con acento. Cuando usamos el adjetivo demostrativo suprimiendo el sustantivo, se convierte en **pronombre demostrativo.**

Este plumín es negro (adjetivo demostrativo).
Éste es azul (pronombre demostrativo).

No es correcto usar el pronombre demostrativo para señalar a una persona.

Ejercicios:

de pronombres demostrativos.

I. Lee las siguientes oraciones y escribe en dos listas separadas los adjetivos demostrativos y los pronombres demostrativos.

Adjetivos demostrativos	Pronombres demostrativos	
______________	______________	1. Me gusta ese avioncito más que áquel.
______________	______________	2. Aquella niña se parece a ésta.
______________	______________	3. Este televisor es más caro que ése.
______________	______________	4. Tenemos que pegar esa figura y ésta.
______________	______________	5. Hay que leer ese cuento y éste también.

II. Completa las oraciones con un pronombre demostrativo.

1. No puedo creer que ese cantante le haya ganado a ______________ .
2. Vamos a acomodar esas macetas junto a ______________ .
3. Esos cuadros me parecen más bonitos que ______________ .
4. No guardes estos jarrones en el mismo lugar que ______________ .
5. ¿Es cierto que esos dulces saben mejor que ______________ ?

Revisión de pronombres

Esta rama representa el pronombre.
Tiene tres hojas. Cada hoja es
una clase de pronombre.

Pronombres **personales.**
Pronombres **posesivos.**
Pronombres **demostrativos.**

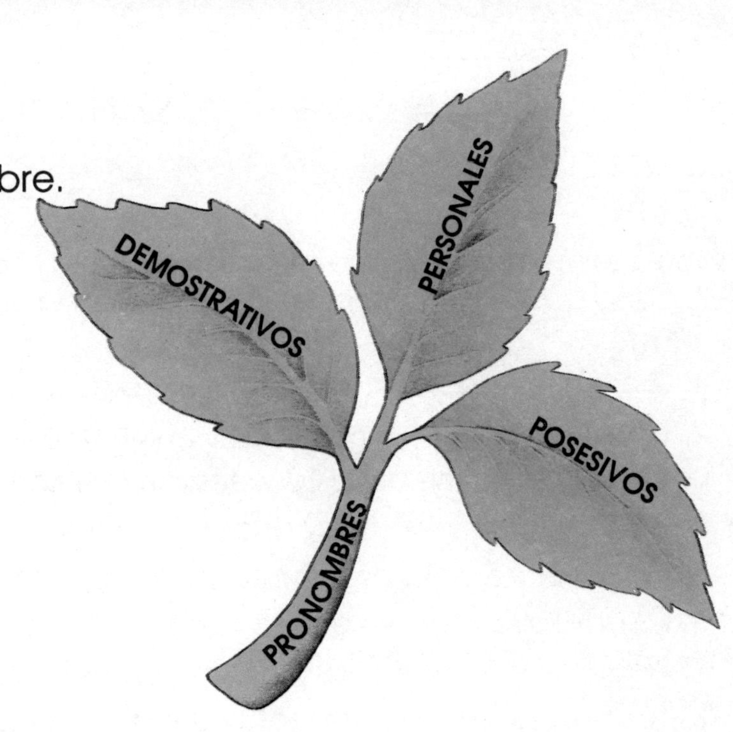

Juego de pronombres (para el pizarrón)

Se supone que todos los niños están en la orilla izquierda listos para pasar. El profesor será el barquero. La contraseña será decir al barquero un pronombre personal, posesivo o demostrativo para poder pasar.
Si lo dice el pasajero, habrá llegado con bien a la orilla opuesta.

Ejercicios:

de pronombres

Dibuja en tu cuaderno una rama semejante a la de la página anterior y escribe dentro de cada hoja los pronombres correspondientes que encuentres en estos enunciados.

1. A él no le gustó esta película, pero a mí sí.
2. Nosotros pedimos esos patines. ¿Qué pidieron ustedes?
3. Esta navidad mis abuelitos vendrán a visitarnos.
4. Ellos son muy cariñosos y ustedes también.
5. Por favor no dejes esos shorts mojados junto a éstos porque se pintan.
6. Mi amiguita Elsa vive en esa casa y en ésta vive su tía.
7. Aquellos señores son los pintores y éstos los electricistas.
8. Tú siempre vienes a este salón a visitar a esas niñas.
9. ¿Por qué siempre llevas esa misma medallita?
10. Yo prefiero este balón ¿Tú quieres aquél?
11. Ustedes los pequeños siéntense en esas banquitas y nosotros los grandes en aquellas sillas.
12. Mañana domingo juegan en el Estadio Azteca el América contra el Guadalajara.

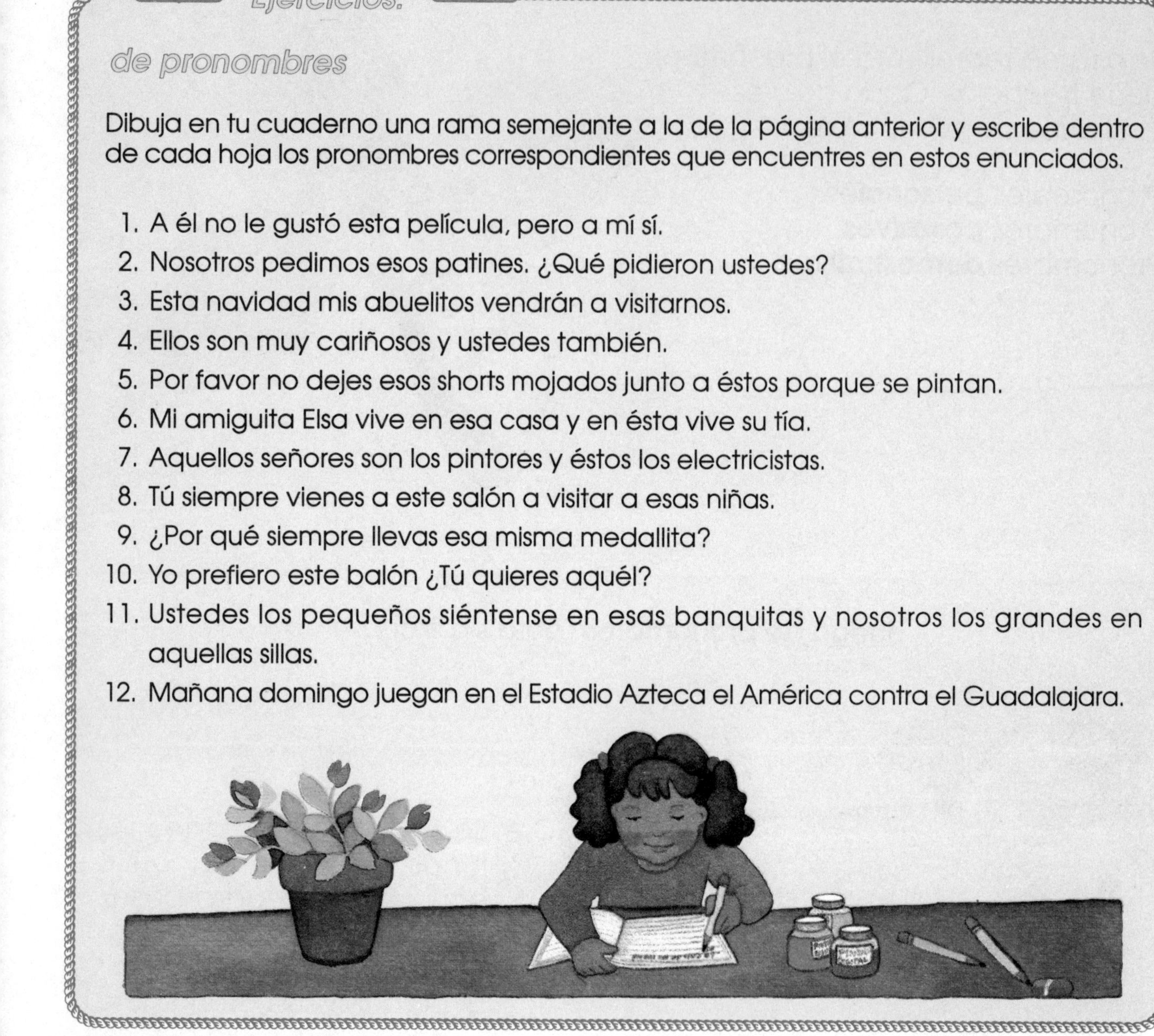

Juego

Divida al grupo en 3 subgrupos A, B y C. Pida que cada niño del grupo A escriba una oración breve con un pronombre posesivo; del B con un pronombre personal y del C con un pronombre demostrativo. Recoja las hojas, revuélvalas y repártalas. Pase al frente a cada niño a leer la oración y decir la clase de pronombre que tiene. Ganará el grupo que tenga menos equivocaciones.
Repita el juego hasta que se obtengan los mejores resultados.

EL VERBO

Un trabajo familiar

En mi familia todos **trabajamos.** Mi papá tiene un local en el mercado donde *vende* licuados de frutas y todos le **ayudamos.** Mi abuelo y él *van* a **comprar** la fruta de la estación al mercado central todos los jueves. **Compran** naranja por costal, fresas, melones, sandías, piñas, guayabas, plátanos y zanahorias; azúcar y leche. Por las tardes mi hermana y yo **lavamos** la fruta que **van** a **llevarse** al otro día. Ella la **lava** y yo la **seco.**
Mi abuelita y mi mamá **ponen** cuidadosamente la fruta en canastas o a veces en cajas para luego **colocarla** en frascos muy limpios. Ellas también **preparan** licuados si **llegan** muchos clientes y si yo **estoy** allí, mientras ellas **licúan** la fruta, le **ponen** leche y azúcar y la **sirven** en vasos de plástico yo **cobro** y **doy** el cambio. Nuestro pequeño negocio familiar **marcha** muy bien porque lo **hacemos** con gusto y además, porque **trabajamos** en equipo y le **ponemos** muchas ganas.

I. Reúna a los alumnos para hacer la lectura, y haga preguntas sobre lo leído.

II. Escribe en tu cuaderno las actividades que realiza cada uno de los miembros de esta familia.

Las palabras en negritas se llaman **verbos.**

VERBOS EN INFINITIVO

¿Qué pueden hacer estas personas, este perro y este trompo?

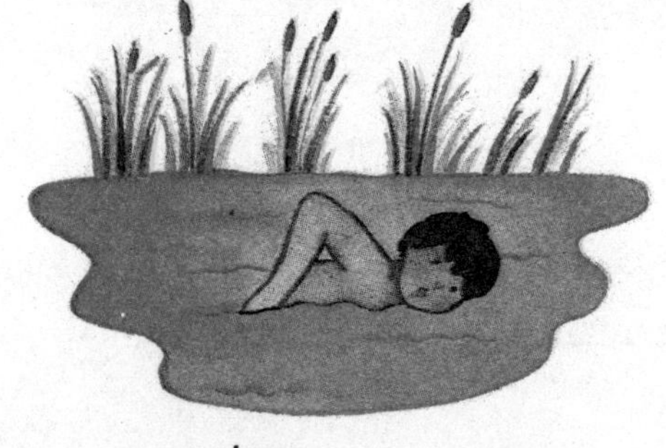
nadar

saltar

bailar

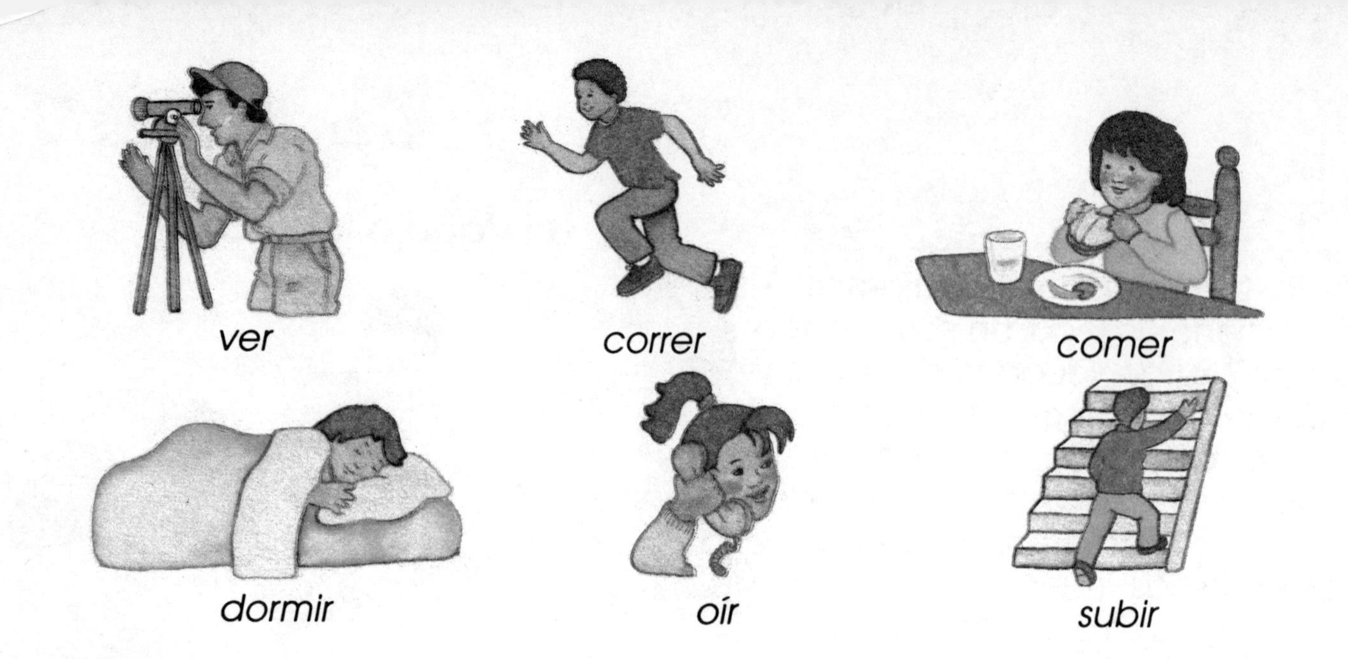

El **verbo** en **infinitivo** expresa lo que pueden hacer las personas, los animales y las cosas.

Hay tres grupos de verbos según su terminación de infinitivo:

Primero: los que terminan en **ar**.
Segundo: los que terminan en **er.**
Tercero: los que terminan en **ir.**
A éstos se les llama verbos de la primera, de la segunda y de la tercera conjugación respectivamente.

Ejercicios: de infinitivos

I. Escribe seis verbos de la primera conjugación.

________________ ________________
________________ ________________
________________ ________________

Revisa si terminan en ***ar.***

Escribe seis de la segunda.

________________ ________________
________________ ________________
________________ ________________

Revisa si terminan en ***er.***

Escribe seis de la tercera.

______________________ ______________________
______________________ ______________________
______________________ ______________________

Revisa si terminan en ***ir.***

II. Busca diez verbos de cada conjugación en una página de tu libro de Historia.

______________________ ______________________
______________________ ______________________
______________________ ______________________
______________________ ______________________
______________________ ______________________

III. Escribe la terminación **ar, er,** o **ir** de estos infinitivos.

cosech ________ pag ________ cant ________ pase ________
produc ________ vend ________ aplaud ________ aprend ________

IV. Escribe debajo de cada dibujo algo que pueden hacer las personas y cosas ilustradas.

______________ ______________ ______________

V. Adivina quién puede desempeñar las acciones que expresan los siguientes infinitivos.

1. Olfatear, ladrar y cuidar. ________
2. Estudiar, hablar y reír. ________
3. Cargar, caminar y rebuznar. ________
4. Rodar, saltar y rebotar. ________
5. Cacarear y poner huevos. ________

VI. Escribe un infinitivo en cada línea:

1. Mercedes coge el hilo y la aguja, va a ______________.
2. El aeroplano agita la hélice, va a ______________.
3. Papá se pone el abrigo y el sombrero, va a ______________.
4. Los niños se ajustan los patines, van a ______________.
5. Tomás enreda la cuerda a su trompo, lo va a ______________.

El verbo es una palabra variable.

El verbo cambia su terminación para expresar persona gramatical.

primera persona

singular

yo com**o**

plural

nosotros com**emos**

segunda persona

singular

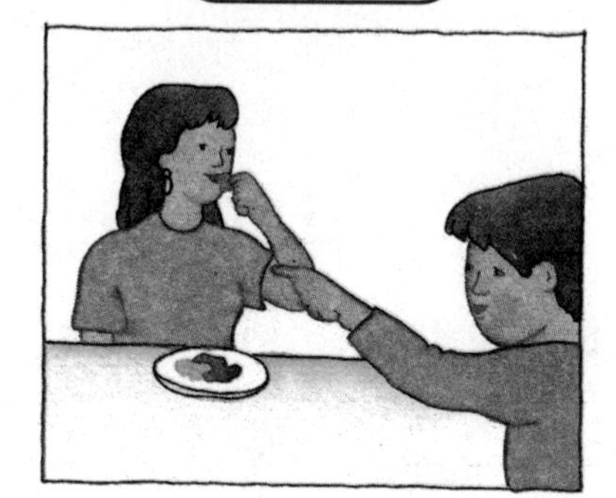

tú com**es**

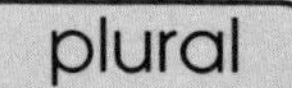

ustedes com**en**

tercera persona

singular

él com**e**

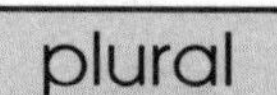

ellos com**en**

singular	plural
Primera persona: **Yo** como	**Nosotros** comemos
Segunda persona: **Tú** comes	**Vosotros** coméis
Tercera persona: **Él** come	**Ellos** comen

La parte del verbo que no cambia se llama raíz.

La **raíz** del verbo comer es **com.**

Ejercicios:

de verbos en diferentes personas

I. Encuentra cinco verbos en el siguiente fragmento:

María Luisa cose el vestido de su muñeca. Tiene un carrete de hilo, tijeras, aguja y dedal. Su mamá le compró la tela y yo le regalé un listón. ¡Qué linda se verá la muñeca con el traje nuevo!

Escribe en infinitivo los verbos que encontraste.

II. Di en qué persona están los verbos de las siguientes oraciones: *Compró* dulces para mí (ella) 3a persona de singular.

El lunes próximo *iremos* de excursión.

Yo *quiero* mucho a mi perro.

Felipe *tiene* una patineta nueva.

Tú no *conoces* a mi papá.

Mi maestro nos *cuenta* hermosos cuentos.

Los alumnos del primer año no *escriben* con bolígrafo.

III. Copia el siguiente párrafo, escribiendo los verbos que están entre paréntesis en la persona que les corresponda.

El quetzal (ser) un pájaro precioso, que (habitar) en los bosques solitarios de países cálidos. Sus plumas (ostentar) los colores más vivos y las de la cola se (prolongar) con gracia sin igual.

LOS TIEMPOS DEL VERBO

El verbo cambia su terminación para expresar tiempo.
El tiempo indica el momento en que se ejecuta la acción del verbo.

Presente

El verbo que expresa acción en el momento actual está en tiempo presente.

Todas las niñas *brincamos* la cuerda.

María *escribe* en el pizarrón.

Los niños *juegan* a que son toreros.

Pretérito

El verbo que expresa acción en pasado está en tiempo pretérito.

Carmela *rompió* la taza.

Los pájaros *salieron* del nido.

Juan y yo nos *caímos.*

Futuro

El verbo que expresa acción que acontecerá está en tiempo futuro.

¡Bravo, Minino! No te *alcanzará* Sultán.

Lucía y Elena *harán* un lindo ramo de flores.

¿Quién *llegará* primero?

Muy pronto *comeremos.*

Revisión de tiempos del verbo

presente

pretérito

Manolo *barre* el patio de su casa. Manolo *barrió* el patio de su casa.

futuro

Manolo *barrerá* el patio de su casa.

presente

Los niños *van* a la escuela.

pretérito

El ratón *vio* al gato.

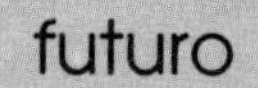

Antonio *venderá* sus periódicos.

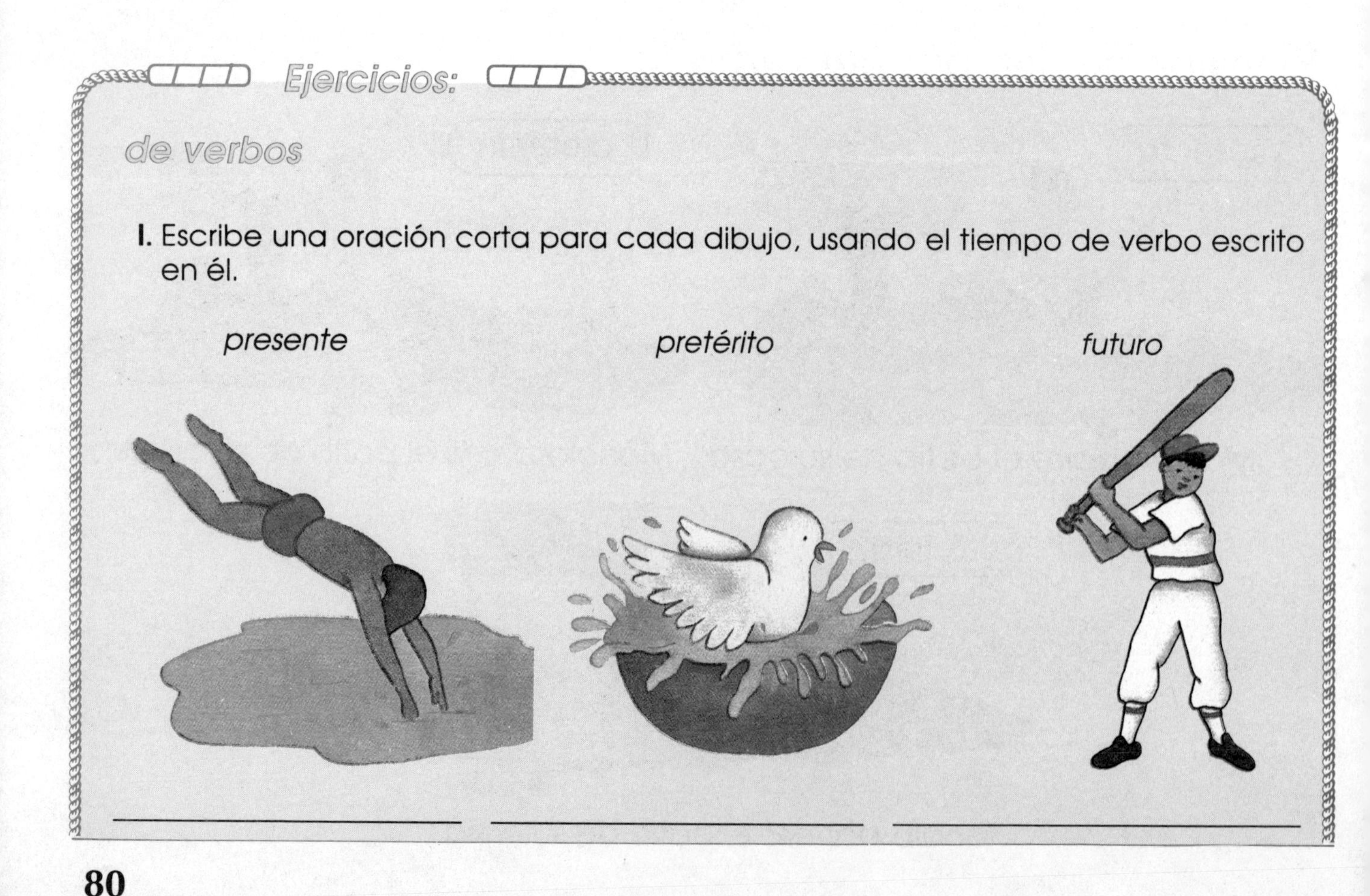

Ejercicios:

de verbos

I. Escribe una oración corta para cada dibujo, usando el tiempo de verbo escrito en él.

presente	*pretérito*	*futuro*
____________________	____________________	____________________

II. Forma tres columnas con la siguiente lista de verbos, una con los de primera conjugación, otra con los de segunda y otra con los de tercera, según su terminación de infinitivo.

vives	trabajamos	nací
comes	dijiste	lee
borda,	repite	aplaudiré
dibujaste,	aprendo	merendamos
compraba	vendió	sonreímos.

III. Escribe la siguiente oración en la primera persona plural.

Yo compré un cuaderno y un lápiz.

IV. Escribe la siguiente oración en pretérito.

Mi hermano Quico aprenderá pronto a leer.

V. Escribe dos oraciones en tiempo presente.

Juego

La cosecha de manzanas
(Para el pizarrón)

Hay muchas manzanas en este árbol. Sube por la escalera de la derecha diciendo el *tiempo de cada verbo* escrito en los escalones. Cuida de no caerte. Si llegas con bien, corta las 21 manzanas diciendo la *persona del verbo* escrito en ellas. Luego baja por la escalera de la izquierda diciendo el *verbo* que tú desees, pero en el tiempo que está escrito en cada escalón.

Encuentra los verbos en esta lectura y di en qué persona y en qué tiempo verbal están escritos. Compara tu ejercicio con tus compañeros de equipo.

Biblioteca

Hemos tenido en la clase de Historia temas de investigación y de consulta en la biblioteca, así que, ayer tarde fuimos un grupo de compañeros a la Biblioteca, por primera vez en nuestra vida.

Un empleado nos indicó en qué forma se piden los libros, buscando el nombre del autor o de la obra en las gavetas del Directorio, que están marcadas con las letras por orden alfabético y que contienen las tarjetas de registro de todos los volúmenes. En esa tarjeta está anotada la sección en que se encuentra la obra y el lugar que le corresponde en los estantes. Copiamos esos datos en un volante, anotando nuestra dirección y nuestro nombre, y lo entregamos a otro empleado que atiende a los lectores desde un amplio escritorio a la entrada. Ese señor firmó la hojita y nos indicó a qué sección debíamos llevarla.

Hay otros empleados en cada sección. El que nos tocó buscó con rapidez el libro anotado en el volante, no tardó más que unos segundos en dar con él en áquel mundo de libros y nos lò entregó.

De allí pasamos a una de las mesas que en doble hilera hay en el centro, para leer.

Me impresionaron mucho varias cosas: la amplitud y belleza del edificio; la cantidad de libros en todos los tamaños nunca soñada por mí, y el silencio profundo que reina a pesar de los numerosos lectores.

Pasé tanto tiempo contemplando la biblioteca que cuando tocaron el timbre para salir tuve que devolver el libro casi sin leer. Se lo entregué al mismo señor que me lo dio y recogí el volante con un sello que decía "Devuelto". En la puerta, antes de salir, me lo pidieron. Seré sincero con el profesor. Le diré que se me pasó el tiempo mirando lo que hay en la Biblioteca.

Revisión general para prueba de conocimiento

I. Escribe dos oraciones declarativas

____

____

Escribe dos oraciones negativas

____

____

Escribe dos oraciones imperativas

____

____

Escribe dos oraciones exclamativas

____

____

II. Cambia los sujetos impresos en negro por el pronombre que les corresponde.

Agustín y **Enrique** hicieron un aeroplano de madera. ________________

Jaime y yo jugamos ping-pong en mi casa de ayer. ________________

Tú y **él** estarán en el mismo equipo. ________________

El Sr. Ruiz vino a visitarnos el domingo pasado. ________________

Patricia y **tú** tienen que hacer su tarea por la tarde. ________________

III. Cambia al plural las siguientes oraciones.

El país está en desarrollo. ________________________

El perro asoma la nariz. ________________________

¿Dónde está la piña? ________________________

El cafetal está en flor. ________________________

La mamá va a dejar a sus hijos a la escuela

____

Mi lápiz no tiene punta. ________________________

El papá está en el auditorio. ________________________

IV. Subraya el verbo y escribe en qué tiempo está:

Muy pronto visitaremos las pirámides de San Juan Teotihuacan. ______________

El sábado pasado fuimos al museo de Historia. ______________

Todos los días mi abuelita limpia la jaula de los canarios. ______________

Vino Anita y me preguntó por tí. ______________

Casi nunca te vemos por aquí. ______________

No sabemos si saldremos de la ciudad hoy o mañana. ______________

Mis primas llegarán entre el viernes y el sábado próximo. ______________

Nos avisaron que hoy podemos salir temprano. ______________

Mientras más duermo más sueño tengo. ______________

"No por mucho madrugar amanece más temprano." ______________

V. Escribe tres adjetivos calificativos que puedas aplicarle a tú mamá, a tu hermano, a tu perro y a tus libros.

______	______	______	______
______	______	______	______
______	______	______	______

VI. Escribe dos derivados de: pan, reloj, libro, casa y anota su significado.

____

____

____

____

____

____

____

____

VII. Observa estos dibujos y escribe lo que se te pide en cada uno de ellos.

Un adjetivo numeral

Un infinitivo

Un adjetivo posesivo

Un adjetivo determinativo o artículo (definido)

Un pronombre posesivo

Un pronombre demostrativo

VIII. Escribe el diminutivo de: reloj, caja, flor, pez, casa, taza.

IX. Escribe ocho oraciones usando adjetivos demostrativos diferentes en cada una.

Cuadro de revisión general

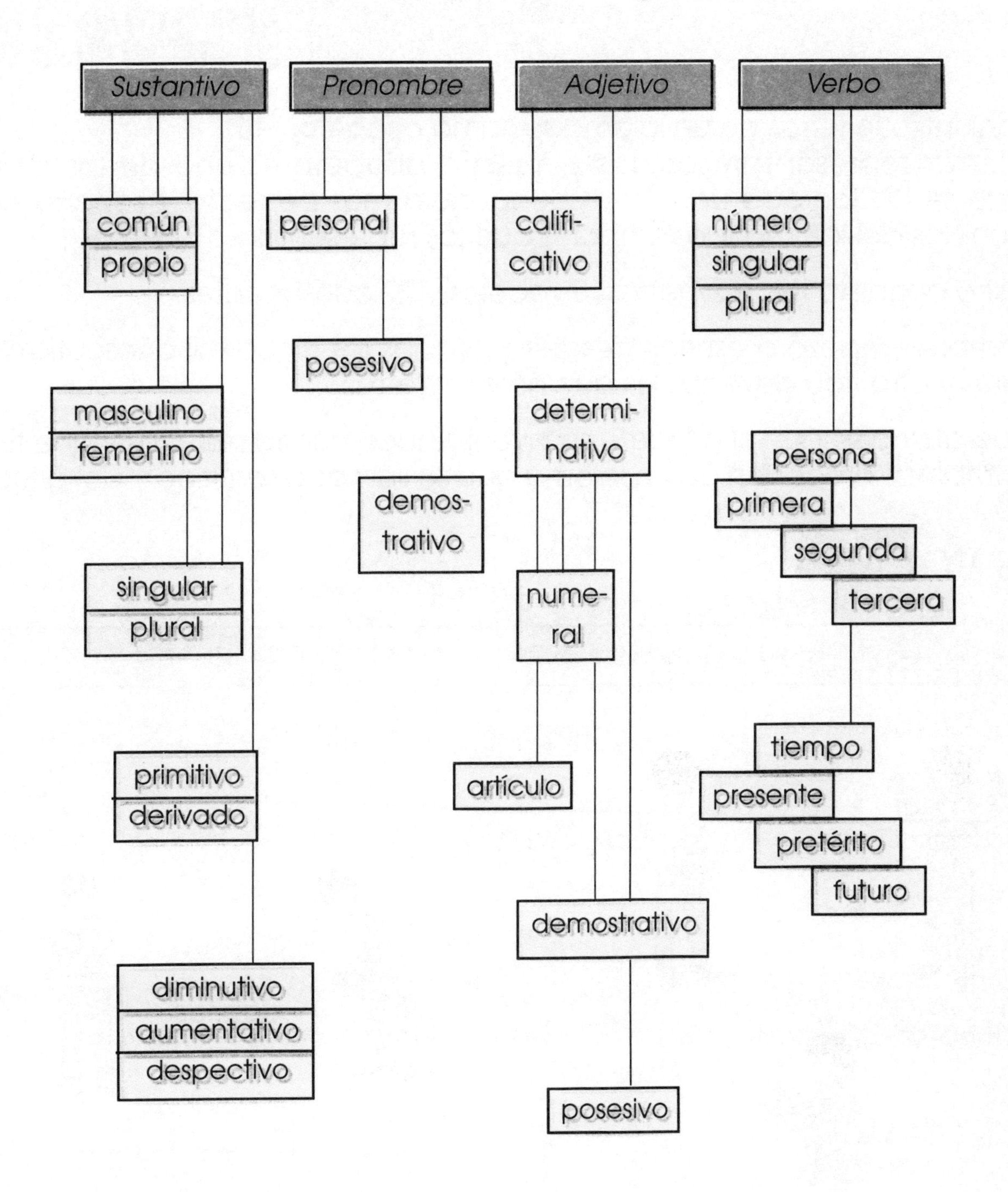

Reúna a los alumnos en grupitos y haga concurso sobre lo que significa cada uno de los nombres del cuadro.

NUESTRO ALFABETO

El conjunto de letras de un idioma se llama **alfabeto.**
Las letras representan sonidos y nuestro alfabeto es uno de los dos en donde se ha logrado una correspondencia más perfecta y sencilla entre los sonidos del idioma y los símbolos que los representan.

Nuestro alfabeto tiene 27 letras: 5 vocales y 22 consonantes.

El hombre empezó a escribir desde hace más de cinco mil años, utilizando dibujos y otro tipo de símbolos que no eran letras.

Puede afirmarse que el alfabeto se inventó hace cuatro mil años y que todos los alfabetos proceden de un idioma que se llamaba semítico y del griego.

LAS VOCALES

Las vocales son letras que pueden pronunciarse por separado.

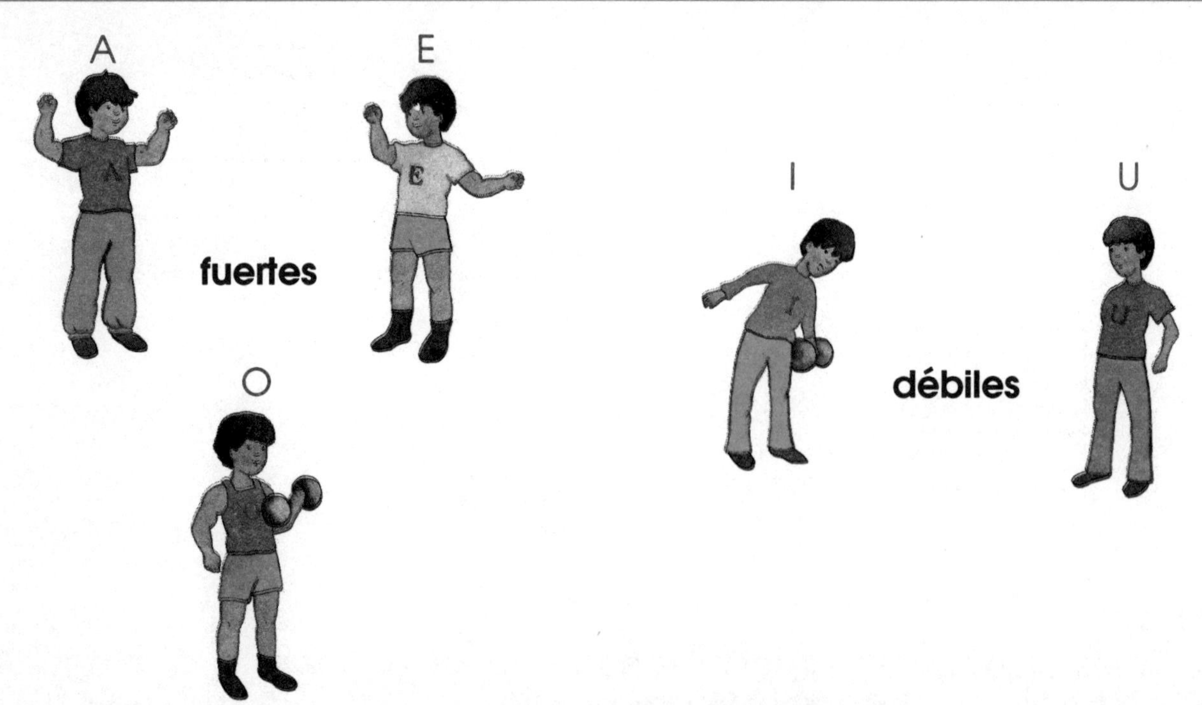

Las vocales se pronuncian en una sola emisión de voz.

A E O	son fuertes.
I U	son débiles.

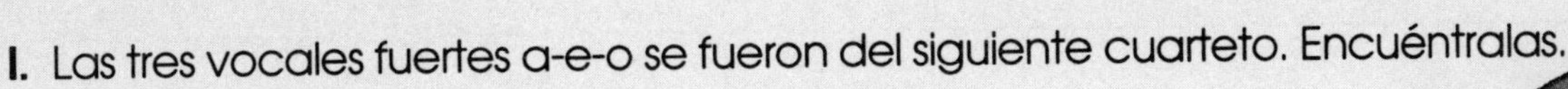

Ejercicios: de vocales

I. Las tres vocales fuertes a-e-o se fueron del siguiente cuarteto. Encuéntralas.

Cu__nd__ pi__ns__ __n __l c__riñ__

infinit__ qu__ m__ ti__n__s,

m__ __c__rc__ __ t__, m__dr__ mí__

y __m__nt__ b__s__ tus si__n__s.

II. Las vocales débiles se fueron. Encuéntralas y recita los cuartetos.

D__me, S__ltán, ¿q__é te pasa?

¿Por q__é esc__cho t__ ladr__do?

"Estoy c__ __dando t__ casa

m__entras t__ q__edas dorm__do".

III. Todas las vocales fuertes y débiles se fueron. Encuéntralas:

L__s __str__ll__s __n __l c__ __l__

s__n g__l__ __n l__ n__ch__ __sc__r__,

y t__ l__nd__ r__p__z____l__

__r__s t__d__ m__ v__nt__r__.

IV. ¿Cuántas vocales tiene tu nombre? ¿Y tu apellido?

V. Busca diez palabras que tengan todas sus vocales fuertes.

LAS CONSONANTES

Se llaman letras consonantes las que necesitan de una vocal para sonar.

Estas son las letras consonantes. Pronuncia cada una y di cual es la vocal que necesita para sonar.

B C D F G H J K L M N Ñ P Q R S T V W X Y Z

Pronuncia las siguientes consonantes y observa qué órgano de la boca usas más.

b m p

Se mueven más los labios.
Se llaman letras **labiales**

d t

La lengua se apoya en los dientes.
Se llaman letras **linguodentales**

V f

Los dientes tocan el labio inferior.
Se llaman **labiodentales**

l n ñ r s

La lengua toca el paladar.
Se llaman letras **linguo-paladiales**

c g j k q

El sonido se produce en la garganta.
Se llaman letras **guturales**

rr

Se llama **letra doble** porque se escribe con dos signos

H

Se llama **letra muda** porque no tiene sonido

Ejercicios: de vocales y consonantes

Encuentra las palabras de la familia dulce en este buscapalabras.

D	I	B	Z	D	U	X	M
O	G	I	A	U	V	P	E
E	N	D	U	L	Z	A	R
Y	S	U	T	C	O	L	A
V	X	L	W	E	U	R	E
U	H	C	A	R	Q	I	O
R	A	E	J	O	Z	I	P
D	U	L	C	E	R	I	A

Inventa otros buscapalabras.

1. Escoge un tema: por ejemplo, nombres de deportes, personas, de juegos, etc.
2. Escríbelos en un cuadro cuadriculado en diversas direcciones, letra por letra.
3. Llena los cuadros vacíos con vocales y consonantes.

Transforma palabras cambiando las vocales o consonantes y di el significado de la palabra que se formó.

Ejemplo:

1.

L	I	M	A
C		T	
R		S	
P		C	
M		R	
V		D	

2.

L	I	M	A
	O		A
	A		A
	O		O
	E		A

¿Con cuál de los dos cuadros se pueden formar más palabras? ____________

¿Por qué? ____

____

LAS SÍLABAS

Sílaba es una o más letras que se pronuncian en una sola emisión de voz.
El equipo azul representa una consonante, el rojo una vocal.

Una consonante seguida de una vocal forma **sílaba directa.**

mi
un
in
ol

no
ya
vi
mi

Una vocal seguida de una consonante forma: **sílaba inversa.**

es
tu
se
la

er
al
ir
ac

Una vocal enmedio de dos consonantes forma **sílaba mixta.**

cal
mil
dos
mas

C A L

del
paz
gas
tul

Ejercicios: de sílabas

I. Escribe cinco palabras que tengan una sílaba mixta, cinco de sílaba directa y cinco de inversa, debajo del dibujo que corresponda.

II. Encierra en un círculo una sílaba directa de las siguientes palabras:

Antonio amiga mamey anoche castillo

III. Encierra en un círculo una sílaba mixta de las palabras siguientes:

manzana jardín Carmela ventana salen

IV. Escribe en la línea qué clase de sílaba es la que está subrayada:

invierno inversa
mensaje ______
almuerzo ______
cafetal ______
camino ______

Las palabras de una sílaba se llaman **monosílabas.**

sol

col

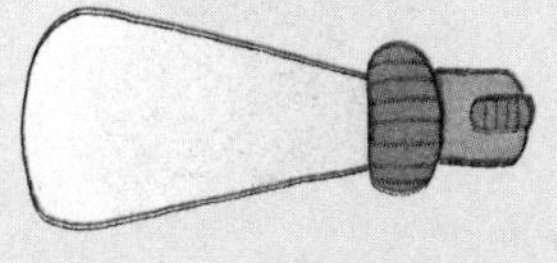

luz

pan
hoz
dos
tren
mar
pez
Las palabras de dos sílabas se llaman **disílabas.**
pa–vo
pe–ra
bol–sa
to–rre
co–che
ti–na
va–so
o–so
ra–na
Las palabras de tres sílabas se llaman **trisílabas.**
ce–pi–llo
e–lo–te
me–ta–te

Las palabras de cuatro sílabas se llaman **polisílabas.**

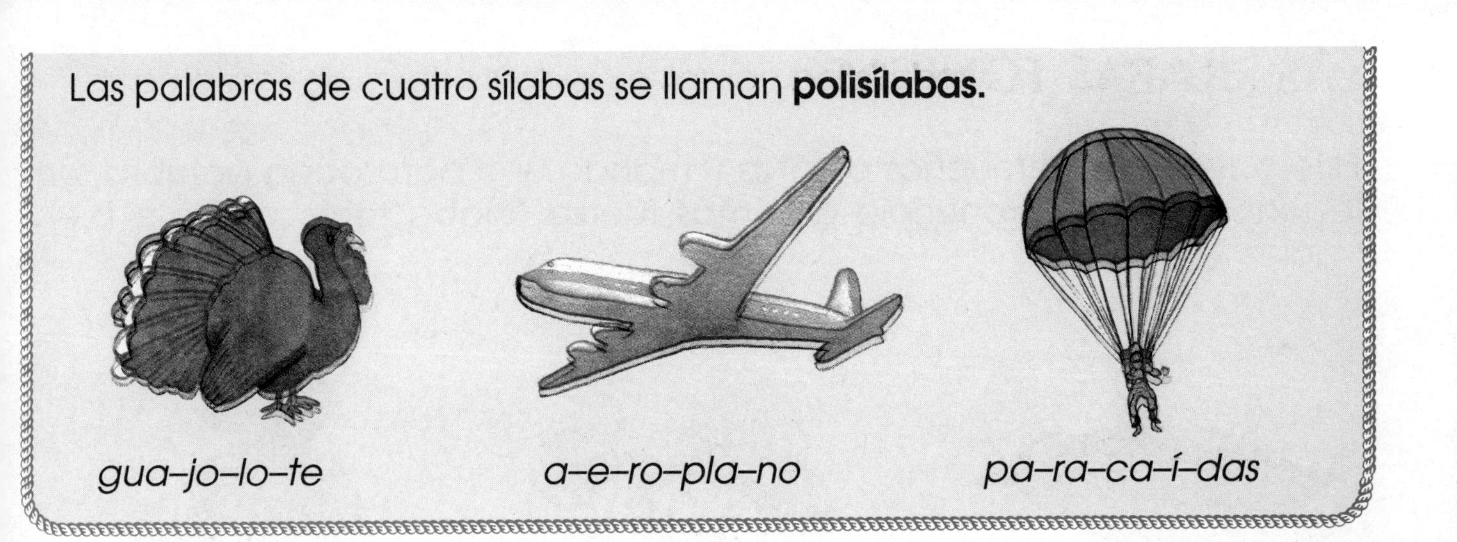

gua–jo–lo–te *a–e–ro–pla–no* *pa–ra–ca–í–das*

Juego de las sílabas

Forme varios grupos de alumnos. Que un grupo escriba palabras monosílabas. Otras disílabas y otras trisílabas en un cuarto de hoja de papel cada una y con letra grande. Revuélvanse las palabras en una caja y dígala dividiéndola en sílabas y si es monosílaba, disílaba o trisílaba.

Hablando en clave

Practica un juego muy antiguo para que lo que hables lo entiendan solamente tú y tu compañera o compañero.
Se trata del conocido juego de "hablar con la f" agregando una f y la última vocal de cada sílaba.
Mientras más rápido lo puedas decir, menos entenderán los demás lo que estás diciendo.
Ejemplo:

Lafa nifiñafa quefe sefe sienfetafa junfutofo defe tifi nofo safabefe mifi nomfobrefe.

(La niña que se sienta junto de ti no sabe mi nombre).

Las palabras se dividen en sílabas para saber dónde deben acentuarse.

Las palabras se dividen en sílabas cuando no caben al final del renglón y tienes que continuar en el siguiente.

LAS SÍLABAS TÓNICAS

Este payaso tiene muchas pelotas y manda una para cada palabra, en la sílaba que se pronuncia con más fuerza (sílaba tónica). Fíjate bien cuáles.

EL ACENTO

En todas las palabras se pronuncia una sílaba con más fuerza que las otras.
El mayor esfuerzo en la pronunciación de una sílaba se llama acento.
En unas palabras el acento sólo se pronuncia y en otras se escribe.

EL ACENTO PROSÓDICO

El acento que **sólo se pronuncia** se llama acento **prosódico,** como en las palabras **ja**ula, cala**ba**za, cam**pa**na y cara**col.**

Ejercicio: de acento prosódico

En el ejercicio siguiente subraya las sílabas que llevan **acento prosódico.**

Mi perro se llama Capulín. Está muy cansado de jugar. Corrió mucho para alcanzar la pelota y traérmela otra vez. Respira agitadamente, saca la lengua y se echa a mis pies.
Mi buen perrito, descansa un momento para que juguemos más.

Clasificación de las palabras por su acento prosódico

Las palabras que llevan acento prosódico en la última sílaba se llaman **agudas:**

leña**dor** delan**tal** gira**sol**

Las palabras que llevan acento prosódico en la penúltima sílaba se llaman **graves:**

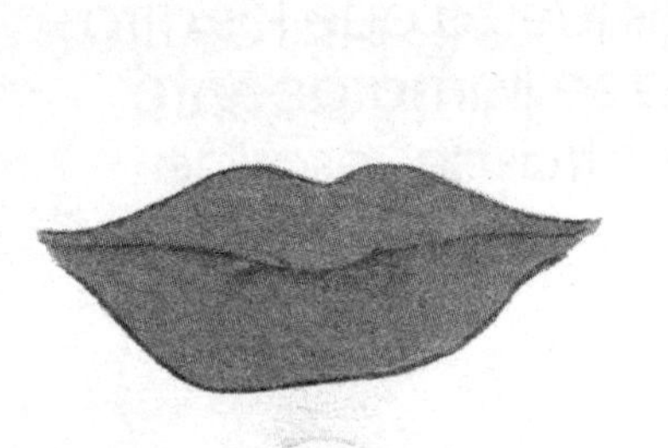

boca

ve**na**do

mari**po**sa

Las palabras que llevan acento prosódico en la antepenúltima sílaba se llaman **esdrújulas** y todas llevan acento ortográfico.

cántaro

pájaros

víbora

Ejercicio: de acentuación de palabras

I. Subraya la sílaba que se pronuncia con más fuerza en las siguientes palabras:

botellón brújula caramelo cacahuate
guacamaya palomar profesor matemáticas

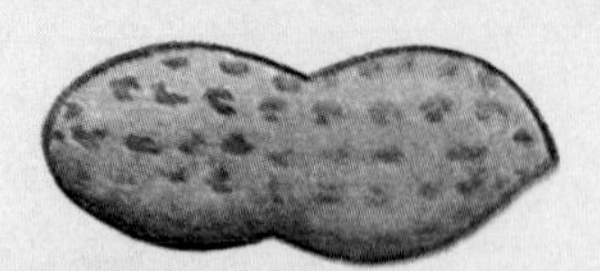

II. Marca con el número uno las palabras agudas:

cinturón canasta clavel
pálido perejil mujer
cáscara azúcar lechuga

Adivinanzas

1. Soy un muñeco muy ligero. Mi amo me maneja moviendo los hilos que sostienen mis pies, mis manos y mi cabeza. Él habla en mi lugar y me hace saltar, correr, caminar y hacer ademanes. Represento en los teatros de los niños. Mi nombre es una palabra trisílaba, esdrújula que comienza con T.

2. Vivo en el espacio. Cuando me escondo, tú duermes porque llegan las sombras a la Tierra. Cuando salgo sientes mi calor. Mi nombre es monosílabo.

3. Soy la envoltura de tu mejor alimento. Soy muy blanco. Fácilmente me hago pedazos. En carnaval me pintan de colores y me llenan de confeti y de perfume. Después me quiebran en la cabeza de un amigo descuidado. Mi nombre es una palabra trisílaba aguda terminada en N.

Inventa otras adivinanzas como éstas.

ACENTO ORTOGRÁFICO

El acento ortográfico es una rayita inclinada (´) que se escribe a veces sobre la vocal de la sílaba que lleva el acento prosódico.

No todas las palabras llevan acento ortográfico.

Acentuación de palabras agudas

Observa en los siguientes ejemplos cuáles son las palabras agudas que llevan acento ortográfico.

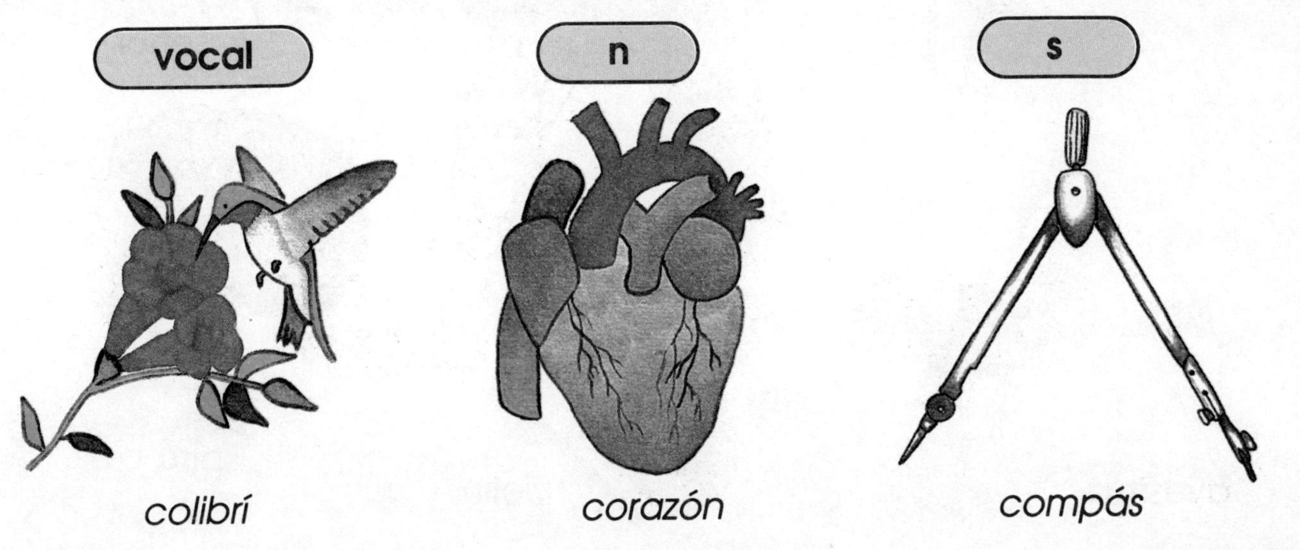

colibrí *corazón* *compás*

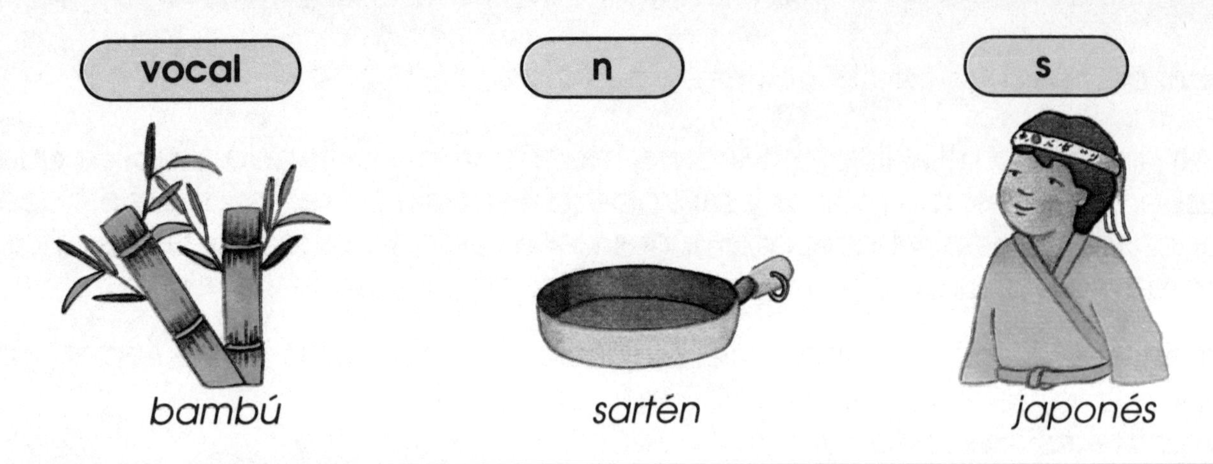

Llevan acento ortográfico las palabras agudas que terminan en **vocal,** en **n** o en **s.**

Ejercicio:
de acentuación de palabras agudas

El payaso tiene sus pelotas listas para las palabras agudas que deben llevar acento ortográfico. Traza líneas desde la pelota hasta las palabras que deben llevar acento ortográfico.

Lee con atención las cuatro columnas de palabras y realiza lo que se te pide después:

caracol	frijol	jardin	dira
piruli	alcatraz	despues	dormir
calor	compas	venderas	algodon
estudio	alheli	volantin	perdi
caminar	pantalon	estaras	ganare
pescador	delantal	cafe	venceras

Separa de la lista anterior todas las palabras que terminen en vocal. Escríbeles el acento ortográfico.

_______________ _______________

_______________ _______________

_______________ _______________

____

Separa de la lista anterior todas las palabras que terminen en s. Ponles el acento ortográfico.

_______________ _______________

_______________ _______________

____

Separa de la lista anterior todas las palabras que terminen en n. Escríbeles el acento ortográfico.

_______________ _______________

_______________ _______________

Escribió, llegó, pensó, faltó, creí, sentí, lloré, viví, llevé, vendí.

Estas palabras se acentúan porque son agudas y terminan en vocal. Son verbos en tiempo pretérito.

Escribe diez verbos en tiempo pretérito que deben llevar acento ortográfico.

_______________ _______________

_______________ _______________

_______________ _______________

_______________ _______________

_______________ _______________

Escribe diez verbos en tiempo futuro que deben llevar acento ortográfico.

________________ ________________

________________ ________________

________________ ________________

________________ ________________

________________ ________________

Pensarás, dirás, oíras, estarás, estudiarán, trabajarán, dirán, estarán.

Estas palabras se acentúan porque son agudas y terminan en **n** o en **s**. Son verbos en tiempo futuro que deben llevar acento ortográfico.

Acentuación de palabras graves

Las palabras graves que terminan en **consonante** que no sea n ni s llevan acento ortográfico.

***ár**bol* ***crá**ter* ***ál**bum* ***tú**nel*

***cés**ped* ***más**til* ***hués**ped* ***cár**cel*

Ejercicios:

de acentuación de palabras graves

El payaso tiene sus pelotas listas para las palabras graves que deben acentuarse ortográficamente. Traza líneas desde la pelota hasta las palabras que deben llevar acento ortográfico.

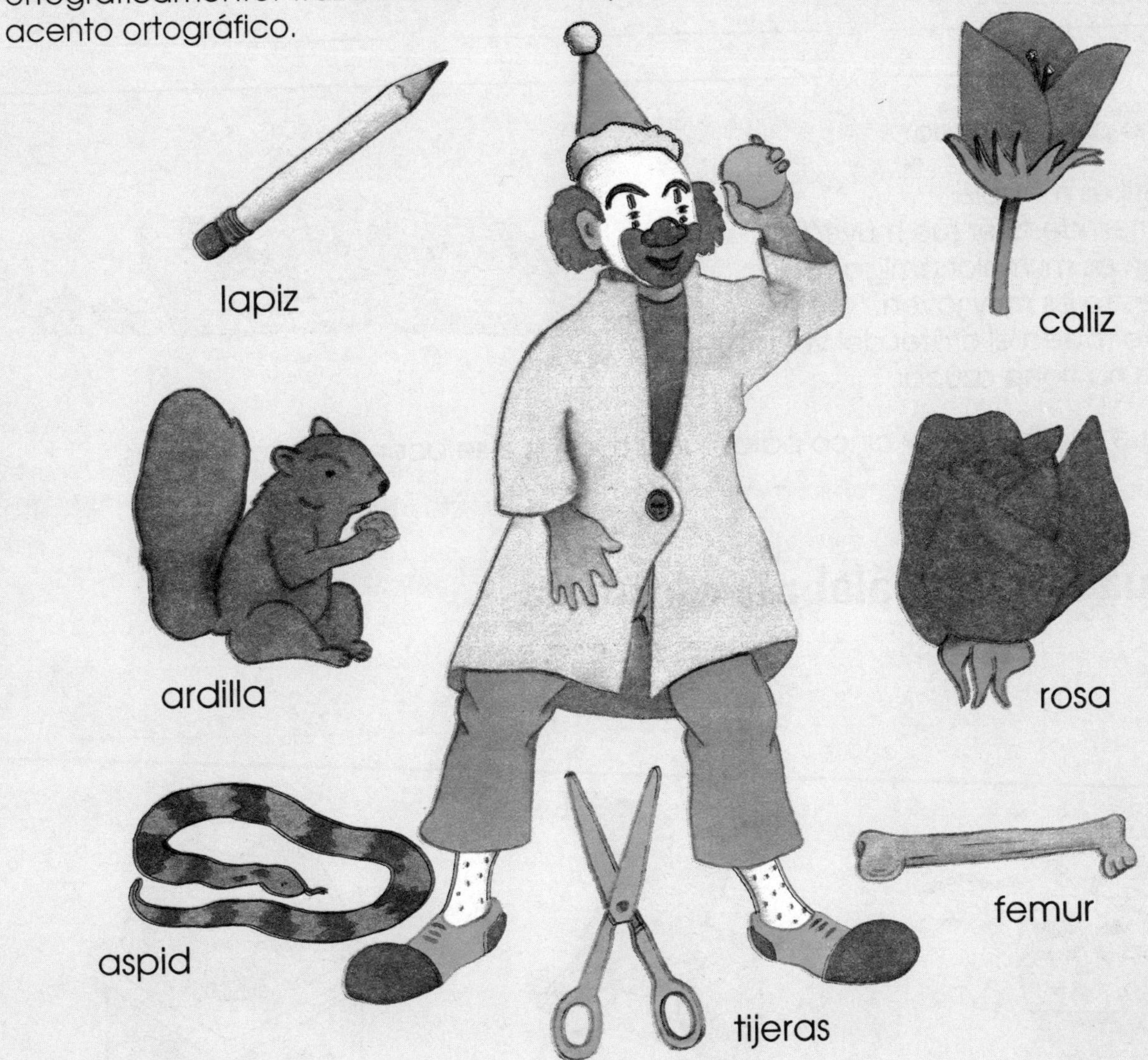

Copia todas las palabras que no terminen en vocal, en n ni en s. Ponles el acento ortográfico.

Carmen	caracter	hermosa	dices
lapiz	examen	dificil	piensan
arbol	caliz	risueña	tunel
sillas	cuaderno	huesped	virgen
dibujo	crater	util	angel
ojeras	facil	azucar	joven

________________ ________________ ________________

________________ ________________ ________________

Ejercicio para dictado:

¡Qué útil es mi lápiz!
El examen de ayer fue muy fácil.
Carmen es mi mejor amiga.
Mi maestro es muy joven.
La nieve rodea el cráter del volcán.
Mi café no tiene azúcar.

En lo que escribiste hay cinco palabras graves que se acentúan. Subráyalas.

Acentuación de palabras esdrújulas

Todas las palabras esdrújulas llevan acento ortográfico.

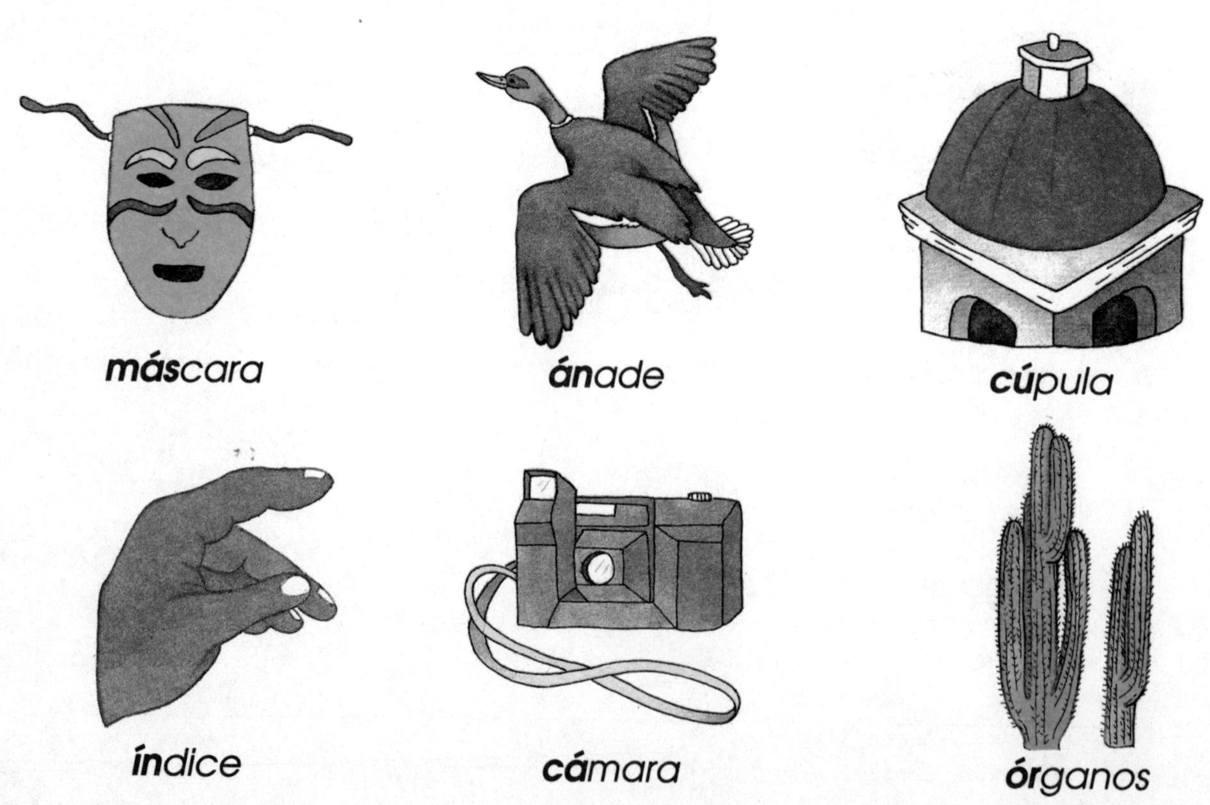

***á**guila*

*te**lé**fono*

*ac**ró**bata*

Ejercicios:

generales de acentuación de palabras

I. En cada una de las siguientes oraciones faltan tres acentos ortográficos. Subraya las palabras que lo necesitan.

1. Mexico se llamo Nueva España en la epoca Colonial.
2. El nombre de las lecciones y el numero de las paginas se buscan en el indice del libro.
3. Mi compañero Tomas es de caracter alegre y jugueton.

II. Julia quiere saber por qué llevan acento ortográfico las siguientes palabras:

además, después, ciprés, jamás

¿Puedes decir por qué?

____

____

III. Ernesto escribe los verbos siguientes:

estudié, escribí, dibujé, salí

¿Sabes por qué les puso acento?

____

____

IV. Escribe dos palabras agudas que no deben acentuarse.

____

Escribe dos palabras graves que no deben acentuarse.

____

V. Forma dos listas con las palabras siguientes:

Palabras que llevan acento ortográfico. Palabras que no llevan acento ortográfico.

Necesitaremos, orfeon, aviador, examenes, jazmin, tamal, escopeta, camaleon, perdiz, batallon, naci, telefono, guardian, coliflor.

______________________	______________________
______________________	______________________
______________________	______________________
______________________	______________________
______________________	______________________
______________________	______________________
______________________	______________________

Escribe los acentos que le faltan a las palabras de estas rimas y oraciones.

1. Llego
   lucho
   y vencio

2. Mi tia Maria
   queria sandia

3. Oye, Tomas
   dame el compas

4. La criada Belen
   limpio la sarten
   en un santiamen.

5. De blanco marmol
   es el angel.

6. Te ofrezco una taza de te.
   Mi cepillo es para mi.

7. ¡Mira Lili!
   Hay un colibri
   en ese alhelí

8. Sobre el verde cesped
   descansa el huesped.

Escribe los acentos que faltan en este poema

I

Mi lindo Mexico
de cielo limpido
azul turqui;
de montes magicos
con nieves nitidas
sobre el zafir;

II

Tus campos fertiles
tus valles placidos
llenos de sol;
tus selvas virgenes
tus minas prodigas
en aureo don

III

Tu augusto labaro
que ostenta el aguila
sobre el nopal;
y flota esplendido
como tu simbolo
de libertad

IV

Tu canto belico
de amor patriotico
himno inmortal
que hasta lo intimo
de nuestras animas
hace vibrar.

V

¡Mi lindo Mexico!
¡Mi lindo Mexico!
En tu loor
lleno de jubilo
entona un cantico
mi corazon

¿Podrás decir cómo se llaman las palabras que acentuaste?

____

Juego de acentuación de palabras

El laberinto

El laberinto es un camino muy difícil que hay que pasar para llegar a una presa que da el riego a los campos de mi padre. Busca la entrada y sigue la línea. Lee en silencio cada palabra escrita y di **sí** cuando deba llevar acento ortográfico y **no** cuando no lo necesite.
¿Podrás llegar a la presa?

SALIDA

ENTRADA

En esta lectura no se pusieron los acentos ortográficos. Escríbelos en las palabras que les corresponde.

El primer avión

Relato de un testigo de los primeros vuelos verificados por Wilbur Wright. (Tesoro de la juventud.)

Saco el aparato de su casa, e inmediatamente fueron engrasadas las helices; Wright acerco una silla al aparato, lleno de petroleo un bote y desde su silla lo vacio en el motor; asi echo dos botes mas.

Entro luego en su habitacion para salir vestido con una chamarra de cuero negro. De alli fue a un campo donde habia instalado unos pequeños rieles. Durante un cuarto de hora, estuvo ultimando detalles hasta colocar el aparato sobre los rieles. Los ayudantes pusieron el motor en marcha, dando unas vueltas a las helices. Despues, una docena de personas tiraron de una cuerda que subio hasta el aeroplano unos pesos necesarios para iniciar los vuelos. Wilbur Wright tomo asiento y al poco rato el aparato se elevaba por los aires.

Este siguio volando y haciendo caprichosas evoluciones, con las cuales aparecia bonita aquella maquina tan fea; se elevaba, descendia, desaparecia en el horizonte, hasta quedar reducida a un punto. Llego a volar a razon de sesenta kilometros por hora durante diez minutos al cabo de los cuales regreso en compañia de un pajaro que le había seguido en sus vuèlos, creyendo acompañar a un compañero gigantesco.

La maquina voladora existia ya. Por lo tanto no era una cosa irrealizable. Durante media hora volo sobre nuestras cabezas con ligereza de verdadero pajaro. Por fin llego a tierra airosamente, sin ruidos ni choques.

SIGNOS DE PUNTUACIÓN

LA COMA

La coma es un signo ortográfico que indica pausa corta.

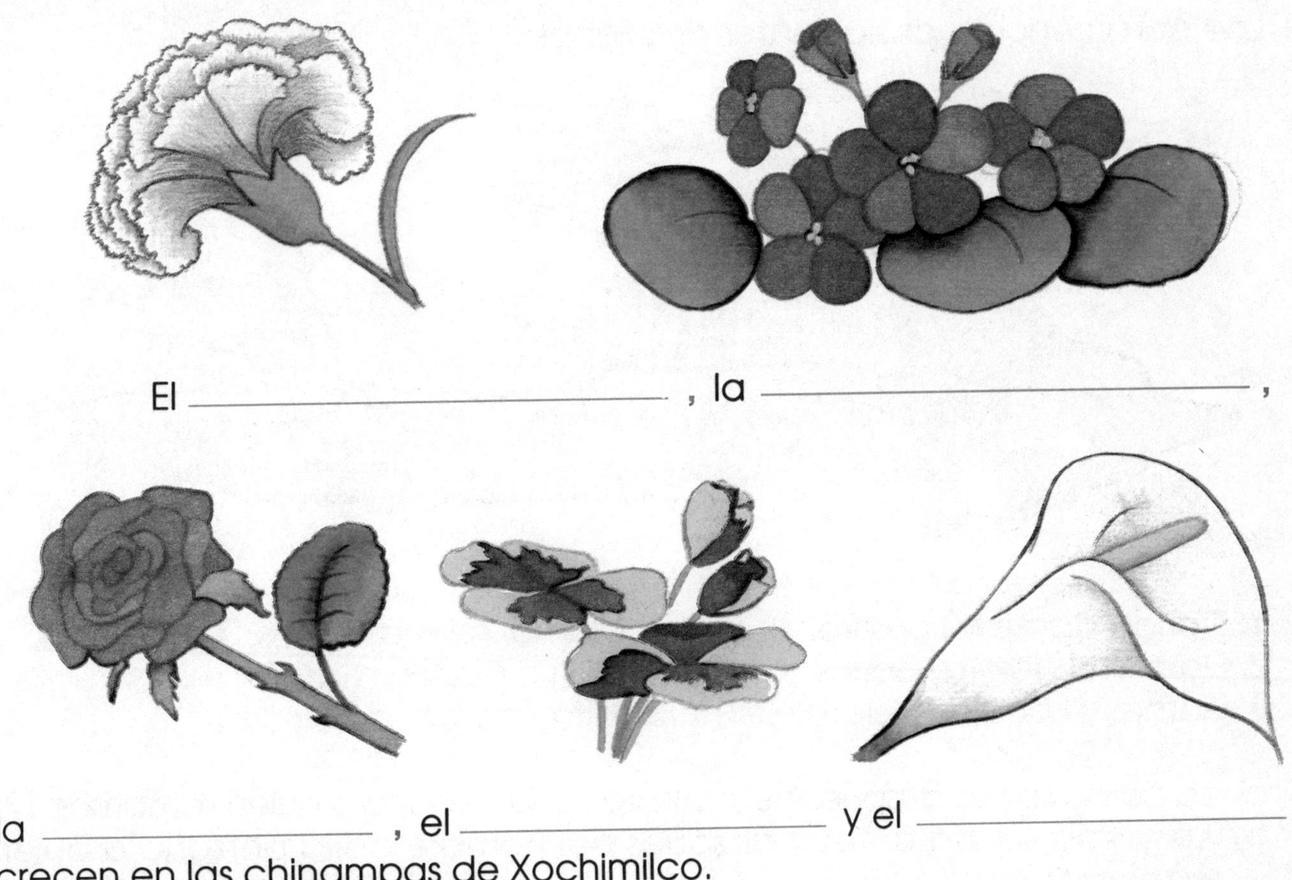

El ____________________, la ____________________,

la ________________, el ________________ y el ________________
crecen en las chinampas de Xochimilco.

El clavel, la violeta, la rosa, el pensamiento y el alcatráz crecen en las chinampas de Xochimilco.

> Se usa la coma para separar cada miembro de una enumeración.

Mi madrina tiene en el corral de su casa chivos, cabras, gansos, gallinas, pollos y guajolotes.

Cuenta cuántas comas hay en la oración anterior.

Entre las palabras patos y guajolotes no hay coma porque está la **y**.

Escribe las comas que se necesitan en esta oración.

Luis estudia en la escuela Español Matemáticas Ciencias Naturales Historia Geografía Educación Cívica Educación Artística y Educación Física.

Escribe una oración en la que uses cuatro comas.

____

____

I. Lee con atención las siguientes oraciones:

1. Carlos, dame mi pelota.
2. Dame mi pelota, Carlos.
3. Dame, Carlos, mi pelota.

1. Mamá, mira a Carlos.
2. Mira a Carlos, mamá.
3. Mira, mamá, a Carlos.

a) La coma se usa después del nombre de la persona a quien llamamos.
b) La coma se usa antes y después del nombre de la persona a quien llamamos.

Cuando llamamos a una persona o nos dirigimos a ella, separamos su nombre por medio de coma.

II. Escribe la coma que falta en estas oraciones.

Préstame tu goma Licha.
Ángel guarda tus libros.
Escoja señorita una de estas flores.
Mamá ven pronto por favor.
Fíjate nena lo que estás haciendo.

III. Al escribir el nombre del lugar donde estamos y la fecha, los separamos por medio de coma:

México, 1º de enero de 1990.
Guadalajara, 3 de octubre de 1993.
Morelia, 5 de mayo de 1994.

Escribe el nombre del lugar donde vives y la fecha de hoy.

____

____

EL PUNTO FINAL

El punto final indica pausa final.

I. Escribe una regla referente a las oraciones y el punto final.

____

____

Revisa si le pusiste punto final a la regla.

II. Escribe una regla referente al punto final y las abreviaturas.

____

____

Revisa si le pusiste punto final a la regla.

III. En la columna B están las abreviaturas que corresponden a las palabras de la columna A. Les falta algo, pónselo.

A	B
México	Méx
usted	ud
Secretaría	Sría
Distrito Federal	D F
atenta y segura servidora	Atta y S S
afectísimo	Afmo

IV. Aprende las siguientes abreviaturas:

enero ene.	febrero feb.	marzo mar.	abril abr.
mayo may.	junio jun.	julio jul.	agosto ag.
septiembre sept.	octubre oct.	noviembre nov.	diciembre dic.

LOS DOS PUNTOS

Los dos puntos indican pausa mayor que la de la coma.

El 9 de mayo los niños hicieron cartas en la escuela para entregarlas a sus mamás el día 10. Algunas comenzaban así:

Mamacita querida:
Muy querida mamá:
Mamacita linda:
Mamacita mía:
Madrecita adorada:
Mamacita de mi vida:

Todas tenían dos puntos después de las palabras de introducción o tratamiento.

Los dos puntos se usan después del tratamiento en las cartas.

En las cartas de.negocios se escribe:

Muy señor mío:
Muy señores nuestros:

Escribe cuatro recados breves para diferentes personas con el tratamiento correspondiente.

LAS COMILLAS

Las comillas se usan para separar las palabras textuales dichas por alguien.

El gallo canta: "Quiquiriquí".

Mi maestro nos dijo: "El baño diario favorece la salud y prolonga la vida".

Cuando el general Twiggs, después de la gloriosa defensa de Churubusco por el general Anaya, le preguntó a éste: "¿Dónde está el parque?", él le contestó con entereza: "Si hubiera parque, no estaría usted aquí".

Observa los ejemplos anteriores y di por qué usamos comillas.

EL GUIÓN MAYOR

El guión mayor es una raya horizontal que se usa en los diálogos.

Tomasín ha marcado un número en su teléfono. Suena el timbre en Xochimilco y toma la bocina su abuelita.

Aquí están Tomasín y su abuelita. Sepamos qué dicen:

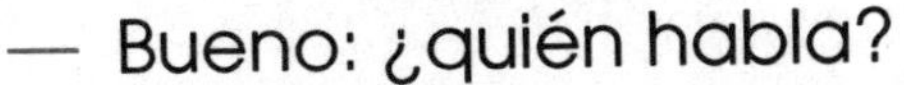

— Bueno: ¿quién habla?
— Soy Tomasín. ¿Eres tú, abue?
— Sí mi vida. ¿Cómo están? ¿Qué se te ofrece?
— Dice mi mamá que mañana iremos a visitarte.
— ¡Ay, qué bueno!
— Abuelita, yo quiero que vayamos en canoa hasta los manantiales.

— Muy bien, Tomasín. Allí alquilaremos un caballo para que montes una hora. ¿Quieres?
— Sí, sí quiero. Voy a decirle a mamá... Adiós, adiós, abuelita.
— Adiós, Tomasín, hasta mañana.

Cuando escribimos lo que dos o más personas platican, colocamos un guión mayor antes de la parte que dijo cada una.

Escribe una plática entre tú y tu(s) compañero(s).

Separa con guión mayor lo que diga cada uno. Después actuénla.

____
____
____
____
____
____
____
____

EL GUIÓN MENOR

El guión menor es una rayita (–) que sirve para dividir una palabra que no cabe al final de un renglón y se tiene que continuar en el siguiente.

I. Observa el final de cada renglón de algunas páginas de tu libro de Historia.

El guión menor indica que la palabra **está dividida.**

II. ¿Cómo dividirás las siguientes palabras al final del renglón?

sindicato ______________ salario ______________
huelga ______________ jornada ______________
contrato ______________ asamblea ______________
sesión ______________ proposición ______________

LOS PUNTOS SUSPENSIVOS

Los **puntos suspensivos** indican que intencionalmente se ha dejado incompleta una oración.

I. Escribe después de los puntos suspensivos lo que no dijo el gato y lo que no dijo la rata.

El gato: —Si te alejas un poquito
de tu agujero... ______________

La rata: —No me creas tonta.
Mientras tú estés ahí... ______________

II. Mamá dice: Si cumples con tu tarea y tienes buena conducta...

____

Completa lo que quiso decir.

Ejercicios: de puntuación

I. Carolina está en segundo año. Ha escrito esta carta y desea que tú le pongas puntuación. ¿Podrás ayudarla?

México D F 8 de mayo de 1990

Sr Dn Manuel Linares
Puebla

Querido abuelito
Ayer fui por primera vez a la escuela Qué contenta estuve Mi Profra es la Srita Alicia Al terminar las clases nos dijo Niños digan a sus papás que este año estudiarán con más empeño que el pasado
Nos pidió que lleváramos lápiz goma cuaderno bolígrafo regla y lápices de colores
Mañana te escribiré otra carta
Tu nieta que te quiere mucho

Carolina

II. Copia la carta y marca con rojo los signos de puntuación que pusiste.

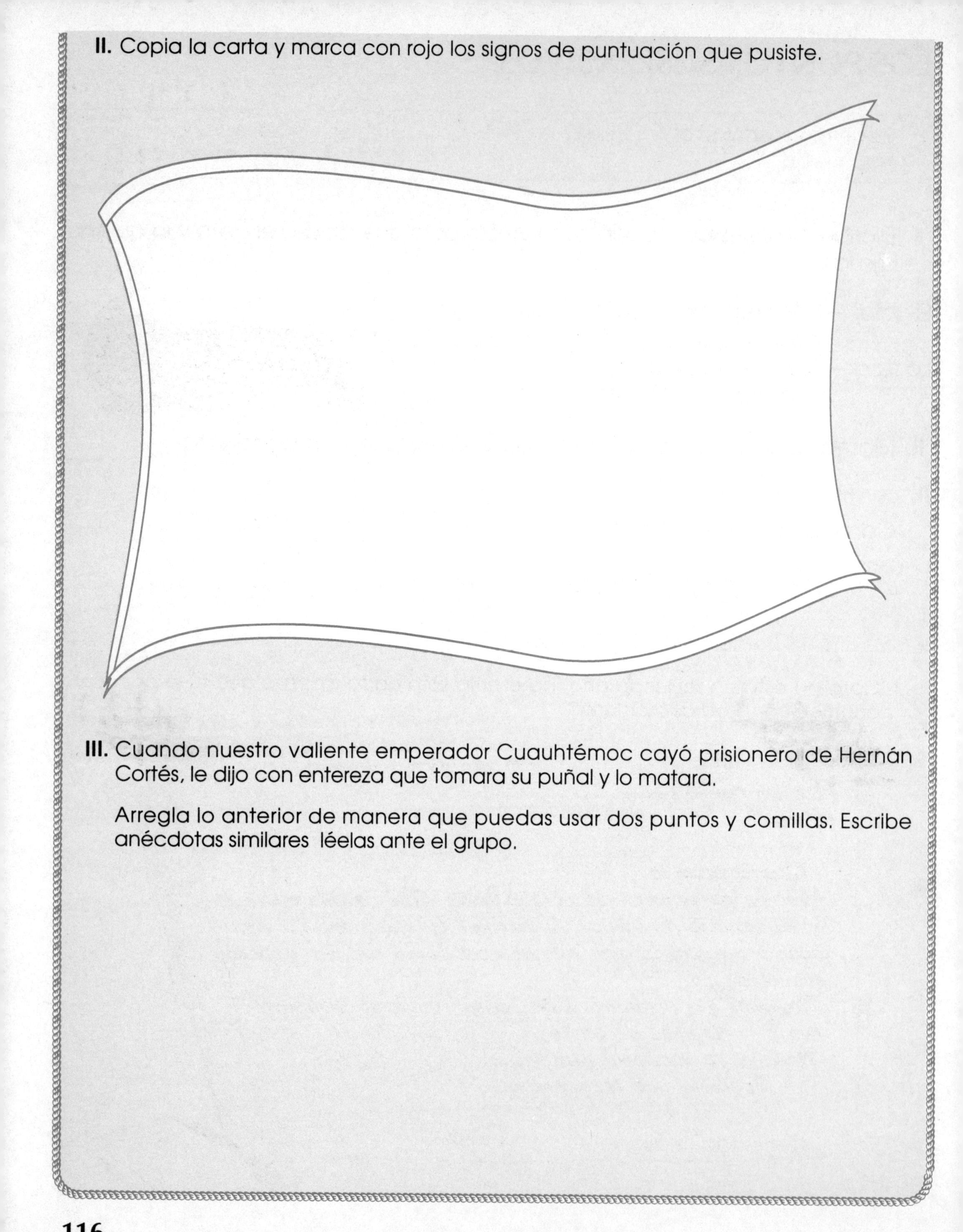

III. Cuando nuestro valiente emperador Cuauhtémoc cayó prisionero de Hernán Cortés, le dijo con entereza que tomara su puñal y lo matara.

Arregla lo anterior de manera que puedas usar dos puntos y comillas. Escribe anécdotas similares léelas ante el grupo.

LA LETRA MAYÚSCULA

I. Escribe los nombres de tus papás, hermanos y de tres de tus compañeros.

Escribe una regla referente a los sustantivos propios y la letra mayúscula.

II. Escribe dos oraciones cortas. Princípialas con mayúsculas.

Escribe una regla refente a las oraciones y la letra mayúscula.

III. Jorge ha leído estos rótulos en el camino de su casa a la escuela:

SANATORIO PARTICULAR

SECRETARÍA DE EDUCACIÓN PÚBLICA

ESCUELA BENITO JUÁREZ

Todos los rótulos de nombres de escuelas, instituciones, casas comerciales, etc., se escriben con mayúsculas.

Escribe tres nombres de escuelas, tres de casas comerciales y tres de instituciones, que hayas leído en la calle.

IV. Antonio ha leído los siguientes cuentos:

El pescador de perlas.
Blanca nieves y los siete enanos.
Aladino y la lámpara maravillosa.

Todos los nombres de obras literarias se escriben con inicial mayúscula.

Escribe los nombres de cuentos que tú has leído.

____

____

____

Las abreviaturas principian con mayúsculas y llevan siempre punto final.

Escribe tres más. __________ __________ __________

señor Sr.

señora Sra.

señorita Srita.

profesor Prof.

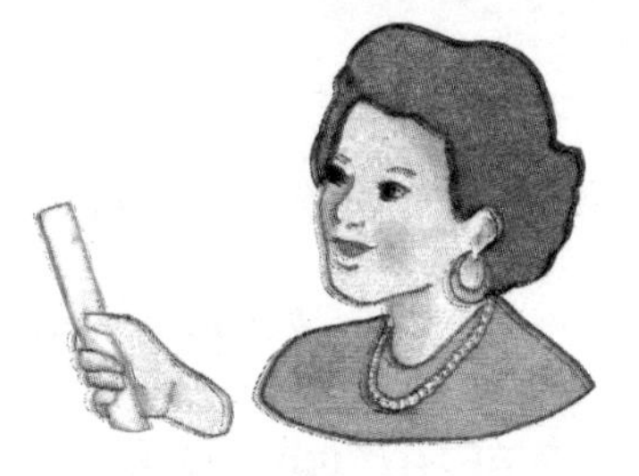

profesora Profa.

doctor Dr.

ingeniero Ing.

Los nombres de títulos profesionales y de cargos públicos se principian con mayúscula.

Presidente, Secretario, Ministro, Juez, Delegado. Escribe tres más.

__________ __________ __________

LAS LETRAS

Algunas de las letras de nuestro abecedario son amigas inseparables en la escritura. En esta página verás cuáles son.

Siempre encontrarás a la **m** antes de **b** y **p.**

I. *ho**mb**re* *cu**mb**re* *ti**mb**re* *bio**mb**o*
*ca**mb**io* *sie**mp**re* *tie**mp**o* *a**mp**lio*

II. Escribe el nombre de estos tres objetos.

______________________ ______________________ ______________________

III. Busca en alguna lección de tu libro de lectura cinco palabras que tengan **m** antes de la **b** o de **p.**

LAS LETRAS B, R, L

brazo	**br**eva	**br**isa	**br**oma	**br**uja
blanco	do**ble**	**bl**indado	**bl**oque	**bl**usa

Las sílabas **bra, bre, bri, bro, bru, bla, ble, bli, blo, blu,** se escriben siempre con **b**.

Busca doce palabras que tengan esas sílabas.

______	______	______
______	______	______
______	______	______
______	______	______

Escribe con **b** en cada espacio:

Cuando lloro me hacen __urla
En noche __uena comí __uñuelos.
El agua de sifón hace __ur__ujas.
Ayer monté en __urro.
Tengo un __usto de don Miguel Hidalgo.

Las palabras que principian con **bu, bur, bus**, se escriben con **b**.

EL SONIDO FUERTE DE RR

El sonido fuerte de la **rr** se representa con una sola **r** al principio de una palabra.

rueda **r**oca **r**ama **r**ecaudo **r**ica

El sonido fuerte de la **rr** se representa con una sola después de **n**.

En**r**ique en**r**amada hon**r**adez en**r**edadera

El sonido fuerte de **rr** se representa con dos **erres** cuando va entre vocales.

bu**rr**o bece**rr**o zo**rr**illo zo**rr**a

Ejercicio:

para dictado

1. Enrique vive en Coyoacán. Una hermosa enredadera cubre el enrejado de su casa.
2. ¡Se rompió la rueda grande del carretón!
3. Rosita se rió tanto que enronqueció.
4. Sé siempre honrado y trabajador.

La **n** es compañera de la **v**. Antes de **v** se escribe **n**:

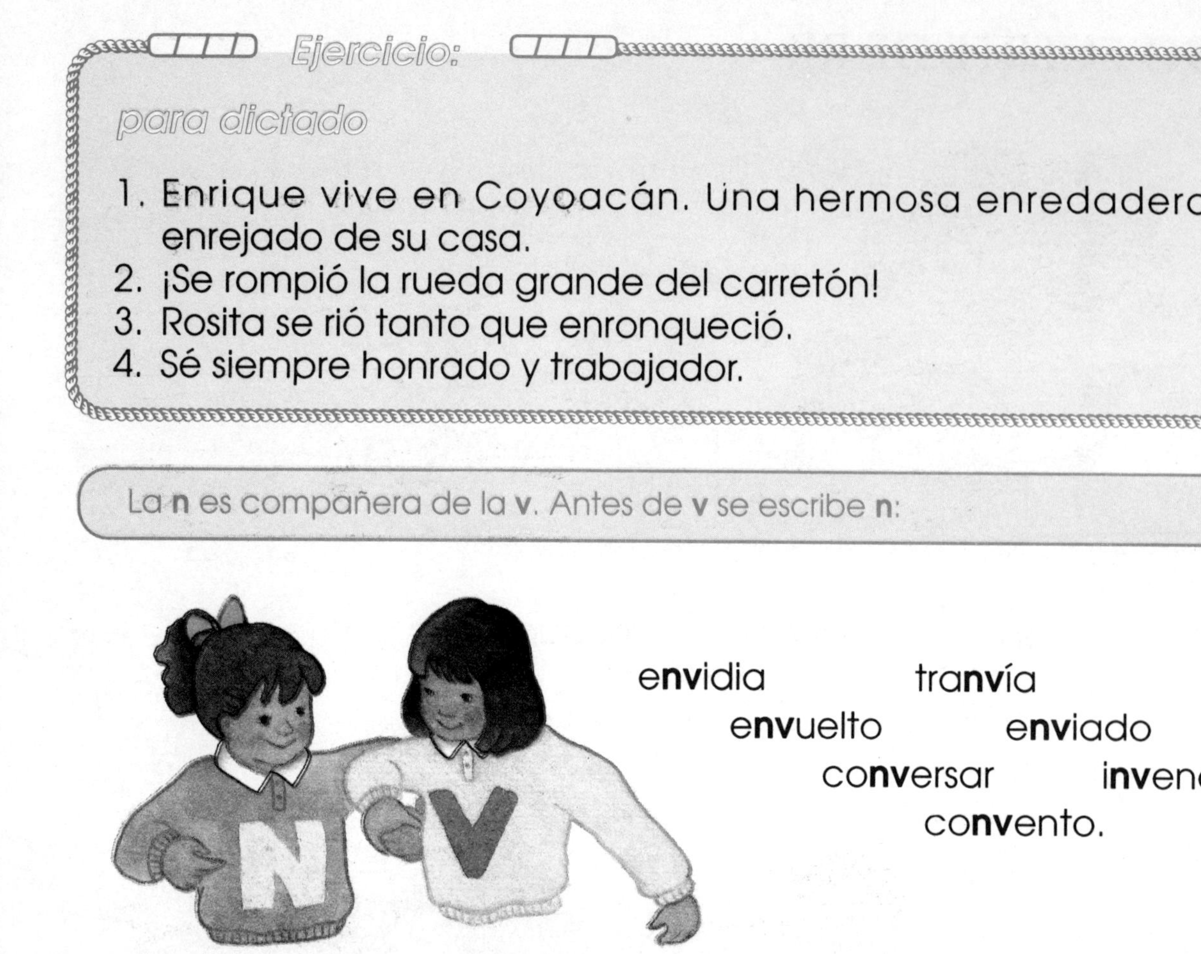

e**nv**idia
tra**nv**ía
e**nv**uelto
e**nv**iado
co**nv**ersar
i**nv**encible
co**nv**ento.

Todos los adjetivos calificativos terminados en **ivo,** se escriben con **v.**

Escribe el adjetivo calificativo de:

la persona que hace *caridad* ______________________
el niño que *ahorra* dinero ______________________
el hombre que se deja llevar de sus *impulsos* ______________________
el libro que *instruye* ______________________
el juego que *educa* ______________________

Después de **d** se escribe **v.**

a**dv**ertir
a**dv**erbio
a**dv**enedizo

La letra **g** seguida de **u** en las sílabas **gui** y **gue** tienen sonido suave.

á**gui**la
guerra
ju**gue**te
a**gui**naldo
guisa
jil**gue**ro
tri**gue**ña
guino

Escribe el nombre de estos objetos:

Para indicar que la **u** suena después de **g** se ponen dos puntitos que se llaman **diéresis.**

desa**güe** ja**güe**y **güe**ro ver**güe**nza

Escribe las diéresis donde faltan.

En la antiguedad las costumbres de los pueblos eran muy sencillas.
Los supersticiosos creen que el ópalo es de buen aguero.
Por el canal del desague del Valle de México salen los desechos de la ciudad.

Con la terminación **azo** se expresa la acción de dar un golpe.

azo

cañon**azo**
Cañon**azo** es un disparo de cañón
Piedr**azo** es un golpe dado con ______________________

I. Regl**azo** es un golpe dado con ______________________
Escob**azo** es un golpe dado con ______________________
Man**azo** es un golpe dado con ______________________

II. Escribe una regla referente al plural de los nombres terminados en **z.**

____

Escribe el plural de:

aprendiz	______________	*coz*	______________
alcatraz	______________	*feroz*	______________
fugaz	______________	*codorniz*	______________
voz	______________	*doblez*	______________

III. Repite la regla referente a los nombres derivados y las letras del nombre primitivo de donde se forman.
Según esa regla revisa si están bien escritos los derivados de:

Servir

se**rv**idor
se**rv**idumbre
se**rv**icio
se**rv**icial
se**rv**illeta
se**rv**il
se**rv**ilismo
se**rv**illetero

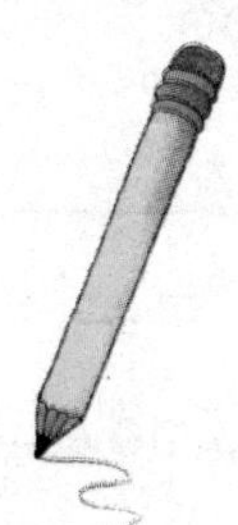

Ejercicios:

para dictado

¿Has ido alguna vez a comer a "Mitla"?

Ayer fuimos papá, mamá y yo.

Si tú vas te servirán al estilo mexicano. Todo el servicio de mesa es de trastos nacionales y los manteles y servilletas son preciosos deshilados del país.

La servidumbre viste trajes regionales y es atenta y servicial.

A mamá y a mí nos gustó mucho "Mitla".

Subraya las palabras derivadas de **servir** y revisa si todas conservan la raíz **serv.**
Revisa si escribiste con **s** y **v**.

Cerrar

cerradura
cerrajero
cerrojo
cerradero
cerrador
cierre
en**cerr**ar
en**cierr**o

El zaguán de mi casa no cierra bien. He mandado llamar al cerrajero para que componga la cerradura.

Me dijo que el cierre no ajusta y que el cerrojo es tan antiguo que debo cambiarlo.

Tendré que seguir su consejo, pues de lo contrario, alguna vez me quedaré encerrado.

Subraya las palabras derivadas de **cerrar** y revisa si las escribiste con **c** y con **rr.**

Ejercicios: ortográficos

1. Escribe el plural de:

maíz ______________ faz ______________

luz ______________ juez ______________

2. Escribe el nombre de estos dibujos en las líneas.

______________ ______________ ______________

3. Escribe dos derivados de cada una de las siguientes palabras.

silla	juguete	lápiz	ojo
________	________	________	________
________	________	________	________

4. Di por qué las palabras *bruma, pobre, cable* y *enjambre* se escriben con ***b.***

____

____

5. A tres de las palabras siguientes les falta diéresis. Subráyala.

guerrista	halagueño	guía	merengue
bilingue	tregua	sinverguenza	enjuague

6. Escribe **v** o **b** en los huecos.

nutriti___o,	estam___re	in___itación	ta___lado
ad___ertencia	___utaca	___ruja	en___oltura

em__rión en____ejecer sem____rar in____ierno

tem__lor cam____io rum____o en____enenar

7. Escribe los nombres de estos objetos:

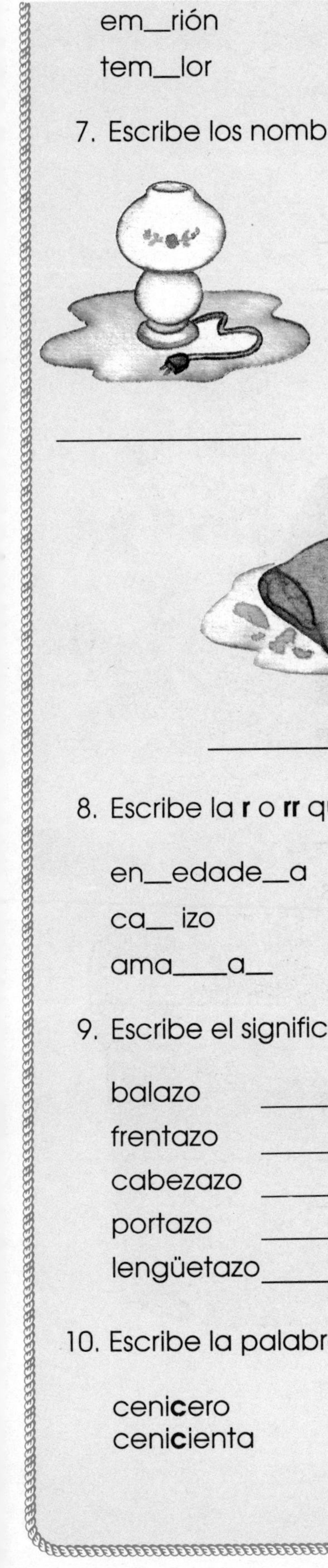

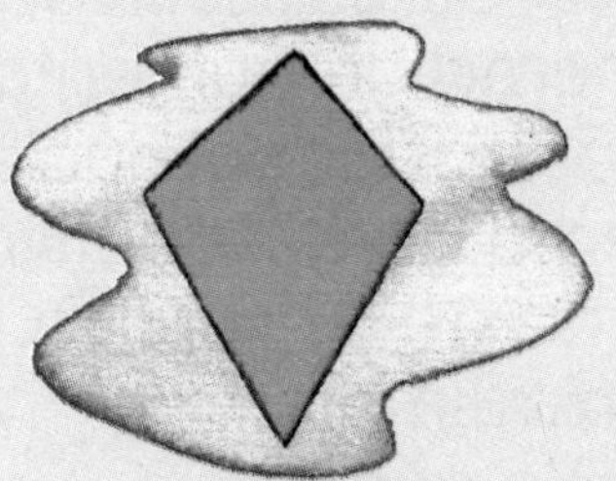

________________ ________________ ________________ ________________

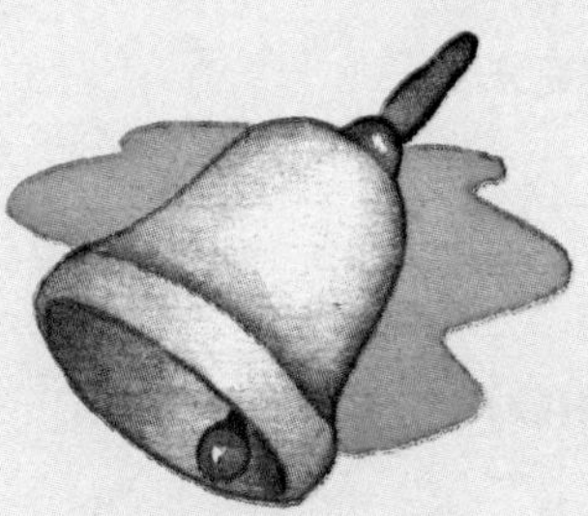

________________ ________________ ________________

8. Escribe la **r** o **rr** que falta en estas palabras.

en__edade__a ca____uaje co__aje son__ isa

ca__ izo ce__eza __od__ igo ce____ojo

ama____a__ pa__ed me__engue

9. Escribe el significado de las palabras que siguen:

balazo ____

frentazo ____

cabezazo ____

portazo ____

lengüetazo____

10. Escribe la palabra de la cual se derivan las siguientes:

ceni**c**ero	ca**c**ito	calaba**c**ita
ceni**c**ienta	ca**c**erola	calaba**c**ero

Glosario

Adjetivo. Modificador del sustantivo.
Aumentativo. Gramema de aumentativo.
Complemento. Modificador del núcleo verbal.
Despectivo. Gramema de despectivo.
Diminutivo. Gramema de diminutivo.
Frase. Enunciado unimembre.
Género. Gramema de género.
Letra. Fonema.
Número. Gramema de número.
Oración. Enunciado bimembre.
Palabra. Morfema.
Raíz. Lexema.
Sustantivo. Núcleo del sujeto.
Terminación (de una palabra). Gramema.
Verbo. Núcleo verbal o
núcleo del predicado.